黄河水土保持生态工程施工质量评定规程(试行)

黄河上中游管理局　编著

黄河水利出版社

图书在版编目(CIP)数据

黄河水土保持生态工程施工质量评定规程:试行/黄河上中游管理局编著.—郑州:黄河水利出版社,2005.9

ISBN 7-80621-997-8

Ⅰ.黄…　Ⅱ.黄…　Ⅲ.黄河-水土保持-水利工程-质量检验-规程　Ⅳ.TV882.1-65

中国版本图书馆CIP数据核字(2005)第109544号

出 版 社:黄河水利出版社

地址:河南省郑州市金水路11号　　邮政编码:450003

发行单位:黄河水利出版社

发行部电话:0371-66026940　　传真:0371-66022620

E-mail:yrcp@public.zz.ha.cn

承印单位:黄河水利委员会印刷厂

开本:850mm×1 168mm　1/32

印张:2.875

字数:72千字　　印数:1—1 000

版次:2005年9月第1版　　印次:2005年9月第1次印刷

书号:ISBN 7-80621-997-8/TV·4　　定价:22.00元

水利部黄河水利委员会文件

黄建管[2004]34号

关于印发《黄河水土保持生态工程施工质量评定规程(试行)》的通知

委属有关单位：

为规范黄河水土保持生态工程建设,统一黄河水土保持生态工程施工质量检验评定工程方法和标准,委组织有关单位编写了《黄河水土保持生态工程施工质量评定规程》。现将该规程印发给你们,请遵照执行。

本规程自印发之日起施行,实施过程中如有问题请函告本规程编著单位。

附件:黄河水土保持生态工程施工质量评定规程(试行)

水利部黄河水利委员会

二〇〇四年十一月四日

前　言

编制《黄河水土保持生态工程施工质量评定规程》主要依据国务院《建设工程质量管理条例》(国务院第 279 号令)、水利部《水利工程质量管理规定》(水利部第 7 号令)和《水土保持综合治理技术规范》(GB/T16453.1～16453.6—1996)等,并参照《水利水电工程施工质量评定规程(试行)》(SL176—1996)的要求,结合水土保持生态工程的特点编制。

本规程的批准单位为黄河水利委员会;本项目主持单位为黄委黄河上中游管理局、黄委规划计划局,参与编制单位为西安黄河工程监理有限公司。

本规程主要起草人为周月鲁、陈伯让、鲁小新、秦向阳、武哲、高永海、高峰、寇俊锋、朱小勇、李梅、马慕铎、杨顺利、李运学、邓吉华、于剑、宋军、程鹏等。

目　次

1 总　　则

1.0.1　为加强黄河水土保持生态工程的质量管理,保证工程施工质量,统一质量检验及评定方法,实现施工质量评定标准化、规范化,特制定本规程。

1.0.2　本规程适用于黄河水利委员会管辖的水土保持生态建设项目。黄河流域片其他水土保持生态建设项目可参照执行。

1.0.3　黄河水土保持生态工程的质量等级分为“合格”、“优良”两级。

1.0.4　黄河水土保持生态工程施工质量评定,应由质量监督机构监督执行。

1.0.5　黄河水土保持生态工程施工质量评定过程中,单元工程检验应由施工单位全检、监理单位抽检。在单元工程质量评定标准中对监理单位抽检比例或数量未作具体规定的,应按全检执行。

1.0.6　黄河水土保持生态工程施工质量评定除符合本规程要求外,还应符合国家现行有关标准的规定。

2 工程项目划分

2.1 一般规定

2.1.1 水土保持生态工程划分为单位工程、分部工程、单元工程3个等级。项目划分见附录A。

2.1.2 工程项目划分和主要单位工程、分部工程、单元工程以及工程关键部位、重要隐蔽工程的确定，应由建设单位或委托监理单位组织设计及施工单位于工程开工前共同研究确定，并将划分结果报工程质量监督机构认定。

2.1.3 在单元工程、分部工程、单位工程质量评定的基础上，对于只有一条小流域的项目，直接进行项目质量评定；对于包括若干条小流域的工程项目，应在每条小流域质量评定的基础上，进行项目的质量评定。

2.2 单位工程划分

2.2.1 淤地坝工程，以每座工程为一个单位工程。

2.2.2 坡面治理工程，以基本农田和植物工程分别列为一个单位工程。

2.2.3 小型水保工程，统一列为一个单位工程。

2.3 分部工程划分

2.3.1 淤地坝工程，应按照功能相对独立、工程类型相同的原则划分分部工程。地基开挖与处理、坝体填筑、排水及反滤体、溢洪道砌护、放水工程可分别划分为分部工程。

2.3.2　基本农田、植物工程，按照其工程类型划分分部工程。基本农田可划分为水平梯条田、小块水地、引洪漫地等分部工程。植物工程可划分为乔木林、灌木林、经济林、果园、人工种草、育苗、生态修复(包括封禁治理)等分部工程。

2.3.3　小型水保工程，按照其工程主要类型划分分部工程。沟头防护、谷坊、水窖等可分别划分为分部工程。

2.3.4　同一单位工程中，同类型的各个分部工程的工程量不宜相差太大，每个单位工程的分部工程数量不宜少于5个。

2.4　单元工程划分

2.4.1　单元工程应按照施工方法相同、工程量相近，便于进行质量控制和考核的原则划分。

2.4.2　淤地坝工程，可按照设计、施工部署的层、段、块划分单元工程。

2.4.3　基本农田、植物工程，在通常情况下，一个图斑划分为一个单元工程；对于图斑面积过大的，一个图斑可划分为几个单元工程；对于图斑面积过小的，几个图斑可合并为一个单元工程。

2.4.4　小型水保工程，以每个单项工程划分为一个单元工程。

3 淤地坝单元工程质量评定标准

3.1 土质坝基及岸坡清理

3.1.1 土质坝基及岸坡清理单元工程质量检查项目与标准，应符合表3.1.1的规定。

表3.1.1 土质坝基及岸坡清理质量检查项目与标准

项次	检查项目	质量标准
1	坝基及岸坡杂物清理	树木、草皮、树根、乱石及各种建筑物全部清除，并做好水井、洞穴、泉眼、坟墓等处理
2	坝基及岸坡基础处理	粉土、细砂、淤泥、腐殖土、泥炭应全部清除；对风化岩石、坡积物、残积物、滑坡体等均应按设计要求处理
3	探坑、试坑处理	按设计要求处理

3.1.2 土质坝基及岸坡清理单元工程质量检测项目与标准，应符合表3.1.2的规定。

表3.1.2 土质坝基及岸坡清理质量检测项目与标准

项次	检测项目	质量标准	
		人工施工	机械施工
1	坝基清理	清理边界超过设计基面边线30cm	清理边界超过设计基面边线50cm
2	岸坡坡度	不陡于设计边坡	

3.1.3 土质坝基及岸坡清理单元工程质量检测的数量应符合以

下要求：用皮尺或仪器对所有边线进行量测，每边线的测点不少于5点；岸坡每10延米用坡度尺测一个点。

3.1.4 土质坝基及岸坡清理单元工程质量评定标准应符合以下规定：

(1)合格标准。检查项目符合质量标准；检测项目的合格率不小于70%。

(2)优良标准。检查项目符合质量标准；检测项目的合格率不小于90%。

3.2 石质坝基及岸坡清理

3.2.1 石质坝基及岸坡清理单元工程质量检查项目与标准，应符合表3.2.1的规定。

表3.2.1 石质坝基及岸坡清理质量检查项目与标准

项次	检查项目	质量标准
1	岸坡及地基开挖	岸坡开挖应按设计边坡要求进行，断层破碎带应采用深挖充填方法处理
2	基础面要求	基础面无松动岩块、悬挂体、陡坎、尖角等，且无爆破裂缝
3	开挖面要求	开挖面平整，无反坡及陡于设计的坡度

3.2.2 石质坝基及岸坡清理单元工程质量检测项目与标准，应符合表3.2.2的规定。

3.2.3 石质坝基及岸坡清理单元工程质量检测的数量应符合以下要求：采用横断面法控制；坝基部位横断面间距不大于20m，岸坡部位横断面间距不大于10m；各横断面不少于6个测点。

3.2.4 石质坝基及岸坡清理单元工程质量评定标准应符合以下规定：

(1)合格标准。检查项目符合质量标准；检测项目的合格率不小于70%。

(2)优良标准。检查项目符合质量标准;检测项目的合格率不小于90%。

表3.2.2 石质坝基及岸坡清理质量检测项目与标准

项次	检测项目	质量标准
1	标高	允许偏差-10~+20cm
2	坡面局部超、欠挖(坡面斜长15m以内)	允许偏差-20~+30cm
	坡面局部超、欠挖(坡面斜长15m以上)	允许偏差-30~+50cm
3	长、宽边线范围	允许偏差0~+50cm

注:"-"号为欠挖,"+"号为超挖。下同。

3.3 土沟槽开挖及基础处理

3.3.1 淤地坝坝基结合槽、岸坡结合槽、溢洪道、涵基、管沟开挖的施工质量评定应采用土沟槽开挖及基础处理单元工程质量评定标准。

3.3.2 土沟槽开挖及基础处理单元工程质量检查项目与标准,应符合表3.3.1的规定。

表3.3.1 土沟槽开挖及基础处理质量检查项目与标准

项次	检查项目	质量标准
1	沟槽开挖	开挖断面尺寸、坡度、水平位置、高程应按设计要求进行
2	基础处理	除岸坡结合槽基础外,其他沟槽基础必须进行处理

3.3.3 土沟槽开挖及基础处理单元工程质量检测项目与标准,应符合表3.3.2的规定。

3.3.4 土沟槽开挖及基础处理单元工程质量检测的数量应符合以下要求:采用横断面法控制;每10m取一个横断面,各横断面检测点不少于3个。

表3.3.2 土沟槽开挖及基础处理质量检测项目与标准

项次	检测项目	质量标准
1	标高	允许偏差0～+5cm
2	宽、深边线范围	允许偏差0～+10cm

3.3.5 土沟槽开挖及基础处理单元工程质量评定标准应符合以下规定：

(1)合格标准。检查项目符合质量标准；检测项目的合格率不小于70%。

(2)优良标准。检查项目符合质量标准；检测项目的合格率不小于90%。

3.4 石质沟槽开挖及基础处理

3.4.1 基础为石质的淤地坝坝基结合槽、基坑、岸坡结合槽、溢洪道、涵基、管沟开挖的施工质量评定应采用石质沟槽开挖及基础处理单元工程质量评定标准。

3.4.2 石质沟槽开挖及基础处理单元工程质量检查项目与标准，应符合表3.4.1的规定。

表3.4.1 石质沟槽开挖及基础处理质量检查项目与标准

项次	检查项目	质量标准
1	石沟槽开挖	开挖断面尺寸、坡度、水平位置、高程应按设计要求进行
2	基础处理	基础面无松动岩块、悬挂体、陡坎、尖角等，且无爆破裂缝
3	开挖面	开挖面平整，无反坡及陡于设计坡度

3.4.3 石质沟槽开挖及基础处理单元工程质量检测项目与标准，应符合表3.4.2的规定。

表 3.4.2　石质沟槽开挖及基础处理质量检测项目与标准

项次	检测项目	质 量 标 准
1	标高	允许偏差 -10～+20cm
2	宽、深边线范围	允许偏差 0～+30cm

3.4.4　石质沟槽开挖及基础处理单元工程质量检测的数量应符合以下要求:采用横断面法控制;每 10m 取一个横断面,各横断面检测点不少于 3 个。

3.4.5　石质沟槽开挖及基础处理单元工程质量评定标准应符合以下规定:

(1)合格标准。检查项目符合质量标准;检测项目的合格率不小于 70%。

(2)优良标准。检查项目符合质量标准;检测项目的合格率不小于 90%。

3.5　石质平洞开挖

3.5.1　人工开凿或爆破法施工的地下开挖工程施工质量评定,应采用石质平洞开挖单元工程质量评定标准。

3.5.2　石质平洞开挖单元工程质量检查项目与标准,应符合表 3.5.1 的规定。

表 3.5.1　石质平洞开挖质量检查项目与标准

项次	检查项目	质 量 标 准
1	开挖岩面	无松动岩块、小块悬挂体
2	结构尺寸	开挖断面尺寸、坡度、水平位置、高程应按设计要求进行
3	地质弱面处理	符合设计要求
4	洞室轴线	符合设计要求

3.5.3 石质平洞开挖单元工程质量检测项目与标准,应符合表3.5.2的规定。

表3.5.2 石质平洞开挖质量检测项目与标准

项次	检测项目	质量标准
1	洞底高程	允许偏差-10~+20cm
2	拱圈半径	允许偏差-10~+20cm
3	侧墙高度	允许偏差-10~+20cm
4	开挖面平整度	允许偏差±15cm

3.5.4 石质平洞开挖单元工程质量检测数量应符合以下要求:按横断面或纵断面法控制;一般不少于两个断面,总检测点不少于20个。

3.5.5 石质平洞开挖单元工程质量评定标准应符合以下规定:

(1)合格标准。检查项目符合质量标准;检测项目的合格率不小于70%。

(2)优良标准。检查项目符合质量标准;检测项目的合格率不小于90%。

3.6 土坝机械碾压

3.6.1 土坝机械碾压施工应符合以下要求:

(1)填筑土坝体或水坠边埂土料的土质及含水率,应符合设计和碾压试验确定的要求。

(2)铺土前应对压实表土刨毛、洒水;应沿坝轴方向分层铺土,厚度均匀,每层厚度不超过30cm,土块直径小于5cm。

(3)碾压机械行走方向应平行于坝轴线,相临作业面的碾迹必须搭接,碾迹重叠10~15cm;靠近岸坡、沟槽结构边角的填土应采用人工或机械夯实,夯击应连环套打,双向套压,夯迹重合不小于

1/3夯径。

(4)坝体分段施工时,应清除接头表土,切成台阶,形成梳状齿槽;坝体横向接缝结合坡度不应陡于1:3,高差应小于5m。

3.6.2　土坝机械碾压单元工程质量检查项目与标准,应符合表3.6.1的规定。

表3.6.1　土坝机械碾压质量检查项目与标准

项次	检查项目	质量标准
1	上坝土料土质、含水率	土质、含水率符合设计要求
2	碾压作业程序	碾压机械行走方向应平行于坝轴线,碾迹及搭接碾压符合要求
3	土块直径	小于5cm
4	分段施工	符合设计要求

3.6.3　土坝机械碾压单元工程质量检测项目与标准,应符合表3.6.2的规定。

表3.6.2　土坝机械碾压质量检测项目与标准

<table>
<tr><th>项次</th><th>检测项目</th><th colspan="3">质量标准</th></tr>
<tr><td>1</td><td>铺土厚度</td><td colspan="3">合格:允许偏差0～－5cm,合格率70%以上
优良:允许偏差0～－5cm,合格率90%以上</td></tr>
<tr><td rowspan="3">2</td><td rowspan="3">压实指标(应达到设计干密度试样合格率)</td><td>评定标准</td><td>黏性土</td><td>非黏性土</td></tr>
<tr><td>合格</td><td>85%</td><td>90%</td></tr>
<tr><td>优良</td><td>90%</td><td>95%</td></tr>
</table>

注:不合格样不得集中在局部范围内。

3.6.4　土坝机械碾压单元工程质量检测的数量应符合以下要求:铺土厚度检测应按作业面积大小每100～200m^{2}取1个测点;干密度检测取样按每200m^2 1个,每层不少于5个测点;对于结合部位、边角及可疑部位,应加密检测;每单元工程取样不到20个时,可多层累积统计。

3.6.5 土坝及水坠边埂机械碾压单元工程质量评定标准应符合以下规定：

(1)合格标准。检查项目符合质量标准;检测项目符合合格质量标准。

(2)优良标准。检查项目符合质量标准;检测项目符合优良质量标准。

3.7 水坠法填土

3.7.1 水坠法填土施工应符合以下要求：

(1)施工前应对筑坝土料进行以下试验:黏粒含量、塑性指数、崩解速度、渗透系数、有机质含量、水溶盐含量等;修建水坠坝的土料,应符合表3.7.1的规定。

(2)不同土料的起始含水率:砂土按25%～40%控制,砂壤土、壤土按39%～50%控制,花岗岩和砂岩风化残积土按45%～55%控制;相应稳定含水率:砂土按15%～22%控制,砂壤土、壤土按23%～26%控制,花岗岩和砂岩风化残积土按23%～27%控制;按设计控制泥浆浓度、围埂宽度及质量。水坠坝允许冲填速度,应符合表3.7.2的规定。

(3)输泥渠出口位置应合理设置,适时调整。

3.7.2 水坠法填土单元工程质量检查项目与标准,应符合表3.7.3的规定。

3.7.3 水坠法填土单元工程质量检测项目与标准,应符合表3.7.4的规定。

3.7.4 水坠法填土单元工程质量检测的数量应符合以下要求:边埂干密度取样执行本规程第3.6.4条的有关规定;泥浆浓度取样按每200$m^2$1个,每层不少于5个测点;每单元工程取样不到20个时,可多层累积统计。

表 3.7.1　筑坝土料控制性指标经验值

项目	均质坝						非均质坝
	砂土	砂壤土	壤土			花岗岩和砂岩风化残积土	花岗岩和砂岩风化残积土
			轻粉质	中粉质	重粉质		
黏粒和胶粒含量(%)	<3	3～10	10～15	15～20	20～30	15～30	5～30
砂砾含量(%)						砾≤30	60～80
塑性指数			7～9	9～10	10～13		
崩解速度(min)		1～3	3～5	5～15	<30		
渗透系数(cm/s)	$<1.0\times10^{-4}$	1.5×10^{-5}～2.0×10^{-5}	1.0×10^{-5}～1.5×10^{-5}	3.0×10^{-6}～1.0×10^{-5}	1.0×10^{-7}～3.0×10^{-6}	$>1.0\times10^{-6}$	$>1.0\times10^{-6}$
不均匀系数							>15
有机质含量(%)	<3						
水溶盐含量(%)	<8						

注：表中黏粒含量是用氨水作为分解剂得出的。

表 3.7.2　均质坝允许冲填速度

项目	砂土	砂壤土	壤土			花岗岩和砂岩风化残积土		
			轻粉质	中粉质	重粉质	坝高分区(从底部起)		
						<1/3	1/3~2/3	>2/3
两日最大升高(m)	<1.0	<0.8	<0.6	<0.4	<0.3	<0.8	<0.5	<0.4
旬平均日冲填速度(m/d)	0.30~0.50	0.20~0.25	0.15~0.20	0.10~0.15	0.07~0.10	0.20~0.30	0.15~0.20	0.10~0.15
月最大升高(m)	<7.0	<7.0	<5.5	<4.0	<3.0	<7.0	<5.0	<3.0

注:土料的黏粒含量在20%~30%时,可按《水坠坝技术规范》在坝体内设置砂井(沟)或聚乙烯微孔波纹管网状排水,允许冲填速度可取表中数值的1.5倍。

表 3.7.3　水坠法填土质量检查项目与标准

项次	检查项目	质量标准
1	冲填土质	符合设计要求
2	边埂、冲填表面	边埂质量达到设计要求,坝坡无鼓肚,坝面无积水
3	冲填速度	符合施工设计

表 3.7.4　水坠法填土质量检测项目与标准

项次	检测项目	质量标准
1	边埂干密度	合格:达到设计干密度试样合格率为70%以上,不合格样不得集中 优良:达到设计干密度试样合格率为90%以上,不合格样不得集中
2	泥浆浓度	合格:达到设计泥浆浓度试样合格率为80%,不合格样不得集中 优良:达到设计泥浆浓度试样合格率为90%,不合格样不得集中

3.7.5 水坠法填土单元工程质量评定标准应符合以下规定:

(1)合格标准。检查项目符合质量标准;检测项目符合合格质量标准。

(2)优良标准。检查项目符合质量标准;检测项目至少有一项符合优良质量标准。

3.8 反滤体铺设

3.8.1 反滤体铺设施工应符合以下要求:

(1)反滤体的基面(含前一填筑层)处理必须符合设计要求,验收合格后方可填筑。

(2)加工好的各种反滤材料检验合格后方可使用;分开堆放在干净的土地上,采取保护措施,防止泥水和土块等杂物混入。

(3)反滤料的粒径、级配、坚硬度、抗冻性和渗透系数必须符合设计要求。

(4)反滤层的结构层数、层间系数、铺筑位置和厚度必须符合设计要求。

(5)必须严格控制反滤层的压实参数,严禁漏压和欠压。

(6)铺筑反滤层,必须严格控制厚度;砂和砂砾料应适当洒水,并预留相当层厚5%的沉陷量;相临层面必须拍打平整,保证层次清楚,互不混杂;分段铺筑时,必须做好接缝处各层间的连接,使接缝层次清楚,不得发生层间错位、折断、混杂;不论平面或斜面接头,都必须为阶梯状。

(7)堆石棱体,应先铺底面上的反滤层,次堆棱柱体,再铺斜向反滤层;斜卧式反滤体,应从坝坡由内向外,依次铺至设计高度;堆石的上、下层面应犬牙交错,不得有水平通缝;滤水坝趾贴坡排水外坡石料的砌筑,应采用平砌法。

3.8.2 反滤体铺设单元工程质量检查项目与标准,应符合表3.8.1的规定。

表 3.8.1　反滤体铺设质量检查项目与标准

项次	检查项目	质量标准
1	反滤体基面	符合设计要求
2	反滤料	粒径、级配、坚硬度、抗冻性和渗透系数必须符合设计要求
3	反滤体压实	密实,严禁漏压和欠压,符合设计要求
4	分段施工	符合施工设计

3.8.3　反滤体铺设单元工程质量检测项目与标准,应符合表 3.8.2 的规定。

表 3.8.2　反滤体铺设质量检测项目与标准

项次	检测项目	质量标准
1	含泥量	合格:不大于 5% 优良:不大于 3%
2	每层厚度偏小值	合格:不大于设计厚度 15%的合格测点不少于 70% 优良:不大于设计厚度 15%的合格测点不少于 90%

3.8.4　反滤体铺设单元工程质量检测的数量应符合以下要求:含泥量检测应分层进行,每 200～300m^2 检测一组,根据实测值直接确定合格或优良;若合格和优良点数相同时,以工程量较大者的检测结果确定合格或优良;每层厚度偏小值的检测,每 100～200m^2 检测一组或每 10 延米取一组试样。

3.8.5　反滤体铺设单元工程质量评定标准应符合以下规定:

(1)合格标准。检查项目符合质量标准;检测项目符合合格质量标准。

(2)优良标准。检查项目符合质量标准;检测项目至少有一项符合优良质量标准。

3.9 坝坡修整

3.9.1 坝坡修整单元工程质量检查项目与标准,应符合表3.9.1的规定。

表3.9.1 坝坡修整质量检查项目与标准

项次	检查项目	质量标准
1	削坡	土坝碾压时,必须在每一层铺土上下游留有余量,坝体完工后按设计断面和坡比进行削坡
2	排水设施	坝体与岸坡交接处应按设计要求设置排水沟,以拦泄山体和坝坡的径流;排水沟布置及断面尺寸应按设计确定
3	植物护坡	坝坡应进行植物防护;选择主根较浅、易生根、能蔓延、耐旱的草灌类,种植均匀

3.9.2 坝坡修整单元工程质量检测项目与标准,应符合表3.9.2的规定。

表3.9.2 坝坡修整质量检测项目与标准

项次	检测项目	质量标准
1	削坡坡比	允许偏差为设计值的±5%
2	排水渠宽、深	允许偏差为设计尺寸的±5%

3.9.3 坝坡修整单元工程质量检测的数量应符合以下要求:坝坡不设马道时,每一坝坡检测点不少于5个;设马道时,马道上下检测点分别不少于3个;排水渠每10米测一个断面。

3.9.4 坝坡修整单元工程质量评定标准应符合以下规定:

(1)合格标准。检查项目符合质量标准;检测项目的合格率不小于70%。

(2)优良标准。检查项目符合质量标准;检测项目的合格率不小于90%。

3.10 干砌石

3.10.1 土坝反滤体和护坡、护埂、护堤等干砌石工程施工质量评定应采用干砌石单元工程质量评定标准。

3.10.2 干砌石工程施工应符合以下规定:

(1)石料质量、规格必须符合设计要求。

(2)干砌石工程的外型尺寸应符合设计要求,垫层材料必须全面均匀,自下而上,错缝竖砌,紧靠密实;大块石封边,表面平整。

3.10.3 干砌石单元工程质量检查项目与标准,应符合表3.10.1的规定。

表3.10.1 干砌石质量检查项目与标准

项次	检查项目	质量标准
1	面石用料	大小均匀,质地坚硬,不得使用风化石料,单块重量不小于20kg,最小边不小于20cm
2	腹石砌筑	排紧挤实,无淤泥杂质
3	面石砌筑	严禁使用小块石,不得出现通缝、浮石、空洞
4	缝宽	无宽度在1.5cm以上、长度在0.5m以上的连续缝

3.10.4 干砌石单元工程质量检测项目与标准,应符合表3.10.2的规定。

表3.10.2 干砌石质量检测项目与标准

项次	检测项目	质量标准
1	砌石厚度	允许偏差为设计厚度的±5%
2	表面平整度	用2m直尺测量,凹凸±5cm

3.10.5 干砌石单元工程质量检测的数量应符合以下要求:采用横断面法控制;每5~10m抽查1处,每处各测3点,总检测点不

少于20个。

3.10.6 干砌石单元工程质量评定标准应符合以下规定：

(1)合格标准。检查项目符合质量标准；检测项目的合格率不小于70%。

(2)优良标准。检查项目符合质量标准；检测项目的合格率不小于90%。

3.11 浆砌石

3.11.1 涵洞、卧管、明渠、消力池、竖井、溢洪道及浆砌石坝体的施工质量评定应采用浆砌石单元工程质量评定标准。

3.11.2 浆砌石施工除应符合干砌石工程施工要求外，还应符合以下要求：

(1)砌筑采用坐浆法施工。

(2)砂浆原材料、配合比、强度应符合设计要求；砂浆宜用细砂，水泥宜用普通硅酸盐水泥；砂浆应随拌随用，严禁使用超过初凝时间的砂浆。

(3)浆砌石工程的外型尺寸应符合设计要求；铺浆必须全面、均匀，无裸露石块。

(4)浆砌石砌缝宽度，粗料石为1.5～2.0cm，块石(毛料石)为3.0cm。

(5)勾缝砂浆必须单独拌制，不得与砌体砂浆混用；勾缝前，要先剔缝，应将缝槽清洗干净，无残留灰渣和积水，并保持缝面湿润；清缝深度水平缝不小于3cm，竖缝深度不小于4cm。

3.11.3 浆砌石单元工程质量检查项目与标准除应符合干砌石相应标准外，浆砌、勾缝检查，还应符合表3.11.1的规定。

3.11.4 浆砌石单元工程质量检测项目与标准，应符合表3.11.2的规定。

3.11.5 浆砌石单元工程质量检测的数量应符合以下要求：采用

表 3.11.1　浆砌、勾缝施工质量检查项目与标准

项次	检查项目	质量标准
1	原材料	符合规范要求
2	砂浆配合比	符合设计要求
3	砌筑	采用坐浆法施工;空隙用碎石填塞,不得用砂浆充填
4	勾缝	无裂缝、脱皮现象

表 3.11.2　浆砌石质量检测项目与标准

项次	检测项目	质量标准
1	砌石结构尺寸	允许偏差为设计尺寸的±4%
2	表面平整度	用2m直尺测量,凹凸差为±2cm
3	轴线位置	允许偏差1cm
4	标高	允许偏差±1.5cm

横断面法控制;涵洞、溢洪道每10～20m抽查1处,卧管、竖井、明渠、浆砌石坝体每5～10m抽查1处,消力池抽查不少于2处;每处设3个测点,总检测点不少于20个。

3.11.6　浆砌石单元工程质量评定标准应符合以下规定:

(1)合格标准。检查项目符合质量标准;检测项目的合格率不小于70%。

(2)优良标准。检查项目符合质量标准;检测项目的合格率不小于90%。

3.12　浆砌混凝土预制件

3.12.1　砌石坝表面、排水渠、消力池盖板、卧管盖板等施工质量评定应采用浆砌混凝土预制件单元工程质量评定标准。

3.12.2　浆砌混凝土预制件施工应符合以下要求:

(1)混凝土预制件强度应符合设计要求。

(2)砌筑采用坐浆法施工;混凝土预制块(板)铺砌应平整、稳定,缝隙应紧密,缝线应规则。

3.12.3 浆砌混凝土预制件单元工程质量检查项目与标准,应符合表3.12.1的规定。

表3.12.1 浆砌混凝土预制件质量检查项目与标准

项次	检查项目	质量标准
1	预制件外观	表面清洁平整,外观规则统一,强度、尺寸符合设计要求
2	预制件铺砌	铺砌平整、稳定,缝线规则、紧密
3	砌筑	采用坐浆法施工

3.12.4 浆砌混凝土预制件单元工程质量检测项目与标准,应符合表3.12.2的规定。

表3.12.2 浆砌混凝土预制件质量检测项目与标准

项次	检测项目	质量标准
1	表面平整度	用2m直尺检测,凹凸差为±1cm

3.12.5 浆砌混凝土预制件单元工程质量检测的数量应符合以下要求:采用横断面法控制;明渠、排水渠、护坡工程每10～20m抽查1处,预制盖板每5～10m抽查1处,消力池抽查至少1处;每处各测3点,总检测点不少于20个。

3.12.6 浆砌混凝土预制件单元工程质量评定标准应符合以下规定:

(1)合格标准。检查项目符合质量标准;检测项目的合格率不小于70%。

(2)优良标准。检查项目符合质量标准;检测项目的合格率不小于90%。

3.13 预制管安装

3.13.1 涵管或卧管的安装施工质量评定应采用预制管安装单元工程质量评定标准。

3.13.2 预制管安装施工应符合以下规定:

(1)预制管质量符合设计和规范要求。

(2)管座砌筑应根据涵管每节的长度,在两管接头处预留接缝套管位置;涵管应由一端依次逐节向另一端套装,接头缝隙应采用沥青麻刀填充,表面用3:7石棉水泥盖缝。

(3)预制管安装完成后应进行渗漏检查;灌水试验时涵洞要承受设计最大的水压或在涵洞内放浓烟;发现漏水、漏烟处,应用水泥砂浆或沥青麻刀进行封堵。

(4)涵管与土坝防渗体相接处应设截水环,截水环尺寸应符合设计要求。

(5)管壁附近填土应采用小木夯或石夯分层夯实,填土超过管顶1m后,再采用大夯或机械压实。

3.13.3 预制管安装单元工程质量检查项目与标准,应符合表3.13.1的规定。

表 3.13.1 预制管安装质量检查项目与标准

项次	检查项目	质量标准
1	预制管质量	符合设计和规范要求
2	预制管接头	填塞接缝,无漏水或漏烟
3	管壁附近填土	采用小木夯或石夯分层夯实

3.13.4 预制管安装单元工程质量检测项目与标准,应符合表3.13.2的规定。

表 3.13.2 预制管安装质量检测项目与标准

项次	检测项目	质量标准
1	截水环的高、宽、厚	允许偏差为设计值的±10%
2	涵管坡比	允许偏差为设计坡比的±10%

3.13.5 预制管安装单元工程质量检测的数量应符合以下要求：采用横断面法控制；涵洞每个截水环抽查1处，卧管每5～10m抽查1处(只抽查坡比)，消力池至少抽查1处；每处各测3点，总检测点不少于20个。

3.13.6 预制管安装单元工程质量评定标准应符合以下规定：

(1)合格标准。检查项目符合质量标准；检测项目的合格率不小于70%。

(2)优良标准。检查项目符合质量标准；检测项目的合格率不小于90%。

3.14 现浇混凝土

3.14.1 涵管、卧管、明渠、消力池的混凝土浇筑施工质量评定应采用现浇混凝土单元工程质量评定标准。

3.14.2 现浇混凝土施工应符合以下规定：

(1)混凝土浇筑应留施工缝，施工缝表面无乳皮，凿成毛面。

(2)浇筑混凝土的模板及支架材料应符合规范要求，具有足够的稳定性和强度；模板表面应光洁平整、接缝严密、不漏浆。

(3)钢筋的规格尺寸、安装位置应符合设计要求。

(4)钢筋的加工、绑扎应进行验收，确认符合设计后，才能浇筑混凝土。

(5)混凝土配合比及施工质量必须满足设计提出的抗压、抗渗、抗冻、抗腐蚀等要求。

(6)浇筑砂浆所用原材料符合有关规范要求,砂浆根据设计要求配制;混凝土铺料间歇时间符合要求,不允许仓面混凝土出现初凝现象,否则,按冷缝处理。

(7)混凝土稠度基本均匀,坍落度偏离设计中值不大于2cm。

(8)拌料及时、均匀,层厚符合规定,钢筋上无凝固砂浆附属物,无骨料集中现象;振捣均匀、密实。

(9)脱模混凝土表面平整,无蜂窝、麻面、露筋、掉角、裂缝,局部个别问题应及时进行处理。

(10)养护及时,在规定28天内保持板面湿润。

3.14.3 现浇混凝土单元工程质量检查项目与标准,应符合表3.14.1的规定。

表3.14.1 现浇混凝土质量检查项目与标准

项次	检查项目	质量标准
1	模板及支架	有足够的稳定性、刚度和强度;模板表面应光洁平整、接缝严密、不漏浆
2	钢筋	钢筋的规格尺寸、安装位置应符合设计图纸的要求
3	混凝土	配合比及施工质量必须满足设计要求
4	混凝土表面	无蜂窝、麻面、露筋、掉角及裂缝

3.14.4 现浇混凝土单元工程质量检测项目与标准,应符合表3.14.2的规定。

表3.14.2 现浇混凝土质量检测项目与标准

项次	检测项目	质量标准
1	钢筋间距	同一排受力筋、分布筋间距及双排钢筋排与排间距偏差为±0.1间距
2	表面平整度	用2m直尺检查,凹凸差为±1cm
3	结构尺寸	允许偏差为设计尺寸的±3%

3.14.5　现浇混凝土单元工程质量检测数量应符合以下要求：采用横断面法控制；涵管、卧管每5～10m抽查1处，消力池至少抽查1处；每处各测3点，总检测点不少于20个。

3.14.6　现浇混凝土单元工程质量评定标准应符合以下规定：

(1)合格标准。检查项目符合质量标准；检测项目的合格率不小于70%。

(2)优良标准。检查项目符合质量标准；检测项目的合格率不小于90%。

3.15　小型淤地坝

3.15.1　小型淤地坝施工应符合以下要求：

(1)坝基要清至原状土或基岩，两岸削坡不应陡于1:1，梯形断面结合槽开挖的底宽和深度均不小于0.5m，边坡1:1。

(2)筑坝土料含水率不低于14%，每次铺土前先将压实层刨毛3～5cm，铺土厚度不超过30cm，要求厚度均匀，宽度范围内土料一次铺够。

(3)每层机械碾压3遍以上，相临作业面碾迹搭接10～15cm；靠近岸坡、边角部位可用人工夯实，夯实采取梅花套打法，夯迹重合不小于1/3夯径，也可用小型、轻型机具压实；每碾压一层，应按设计坡比进行整坡。

(4)坝体干密度及工程各部分尺寸符合设计要求。

3.15.2　小型淤地坝单元工程质量检查项目与标准，应符合表3.15.1的规定。

表3.15.1　小型淤地坝质量检查项目与标准

项次	检查项目	质量标准
1	清基与削坡	坝基浮土、杂物及强风化层全部清除，削坡达到设计标准
2	外观质量	表面平整，无弹簧土、裂缝、起皮及不均匀沉降现象

3.15.3　小型淤地坝单元工程质量检测项目与标准,应符合表3.15.2的规定。

表3.15.2　小型淤地坝质量检测项目与标准

项次	检测项目	质量标准
1	铺土厚度	铺土均匀,每层厚度≤30cm
2	压实率	压实厚度占铺土厚度的比率≤0.75
3	坝高	符合设计要求,允许偏差0～+15cm
4	坝顶宽度	允许偏差-5～+15cm
5	上、下游边坡	允许偏差0～-0.1
6	干密度	符合设计要求,允许偏差0～-0.1t/m³

3.15.4　小型淤地坝单元工程质量检测的数量应符合以下要求:沿坝轴线每5～10m测1个横断面(至少测3个断面),铺土厚度及压实率每层至少测3个点,取其平均值;在坝顶、坝坡以及岸坡结合部位布设5个点,用环刀取样或用干密度检测仪测其干密度。

3.15.5　小型淤地坝单元工程质量评定标准应符合以下规定:

(1)合格标准。检查项目符合质量标准;检测项目的合格率不小于70%。

(2)优良标准。检查项目符合质量标准;检测项目的合格率不小于90%。

4　基本农田单元工程质量评定标准

4.1　梯　　田

4.1.1　梯田包括水平梯田和隔坡梯田。

4.1.2　梯田施工应符合以下要求：

(1)梯田布设符合设计。

(2)梯田施工应按设计要求进行清基处理与表土还原。

(3)梯田修筑应埂、坎齐全；土坎分层夯实，坎面拍光；石坎砌石要自下而上错缝竖砌，紧靠密实，大块封边，表面平整。

(4)田面平整，田面宽度不小于6m(土石山区不小于4m)。

(5)隔坡梯田的田面宽度与隔坡段水平投影宽度比以及隔坡段治理应符合设计要求。

4.1.3　梯田单元工程质量检查项目与标准，应符合表4.1.1的规定。

表4.1.1　梯田质量检查项目与标准

项次	检查项目	质量标准
1	梯田布设	符合设计要求
2	梯田施工	进行了清基与表土还原
3	田坎质量	土坎梯田埂、坎密实，无坍塌、陷坑(软埂配有生物措施)；石坎砌石外沿整齐，砌缝上下交错
4	隔坡段治理措施	轮休、造林、种草质量符合设计要求

4.1.4　梯田单元工程质量检测项目与标准，应符合表4.1.2的

规定。

表 4.1.2　梯田质量检测项目与标准

项次	检测项目	质 量 标 准
1	田面宽度	土质山区不小于 6m(土石山区不小于 4m)
2	埂坎尺寸	允许偏差:埂宽、埂高±5cm
3	田面平整度	田面平整,纵、横向高差均小于 1%
4	隔坡梯田田面宽度与隔坡段投影宽度比	允许偏差±5%

4.1.5　梯田单元工程质量检测的方法及数量应符合以下要求:

(1)单元工程数量 3 个以下时全检,3 个以上每增加 3 个,抽检数增加 1 个,并保证抽检面积占实施总面积的 30%以上。

(2)土质埂、坎质量检查可在田坎上往返行走一遍,田坎不坍塌、坎顶无陷坑为合格;埂坎尺寸、田面宽度以及隔坡梯田宽度比测定,按田面长度分别在田埂(田面、隔坡段)中部和距两端各约 1/5 部位分别检测 3 处,取其平均值;田面平整度按田面长度每 20m 检测 1 次,取其平均值。

4.1.6　梯田单元工程质量评定标准应符合以下规定:

(1)合格标准。检查项目符合质量标准;田埂尺寸检测合格率不小于 70%,田面宽度及田面平整度检测合格率不小于 80%,隔坡梯田田面宽度与隔坡段投影宽度比检测合格率不小于 80%。

(2)优良标准。检查项目符合质量标准;田埂尺寸检测合格率不小于 80%,田面宽度及田面平整度检测合格率不小于 90%,隔坡梯田田面宽度与隔坡段投影宽度比检测合格率不小于 90%。

4.2　小块水地

4.2.1　除水源工程外,小块水地施工应符合以下要求:

(1)小块水地及其附属设施布设符合设计要求。

(2)有水源保证,无论采取何种灌溉方式(井灌、提灌及自流灌溉),均能满足(或基本满足)灌溉要求。

(3)渠系配套,井灌、提灌及蓄水坝库(池、塘)等设施基本完好。

(4)田面平整,田边蓄水埂质量符合设计要求。

4.2.2 小块水地单元工程质量检查项目与标准,应符合表4.2.1的规定。

表4.2.1 小块水地质量检查项目与标准

项次	检查项目	质量标准
1	田块布设	符合设计
2	灌溉水源	有确定的水源和水量
3	灌溉设施	渠系配套,主干渠道按设计进行了砖、石衬砌,井灌、提灌及蓄水坝库(池、塘)等设施完好
4	田边蓄水埂	密实无塌陷

4.2.3 小块水地单元工程质量检测项目与标准,应符合表4.2.2的规定。

表4.2.2 小块水地质量检测项目与标准

项次	检测项目	质量标准
1	田面平整度	田面平整,入水端比末端略高,高差小于1%
2	渠道比降	符合设计要求
3	渠道宽、深	允许偏差为设计尺寸的±5%

4.2.4 小块水地单元工程质量检测的数量应符合以下要求:单元工程数量3个以下时全检,3个以上每增加3个,抽检数增加1

个,并保证抽检面积占总面积的30%以上;渠道断面每10～20m检测1处。

4.2.5 小块水地单元工程质量评定标准应符合以下规定:

(1)合格标准。检查项目符合质量标准;检测项目的合格率不小于70%。

(2)优良标准。检查项目符合质量标准;检测项目的合格率不小于90%。

4.3 引洪漫地

4.3.1 引洪漫地工程施工应符合以下要求:

(1)总体布局符合设计要求,渠首、渠系及田间工程配套。

(2)渠首工程(截水沟、拦洪坝或导洪堤等)按设计施工,工程设施完好无损,能满足拦(引)洪要求。

(3)渠道断面和比降符合设计要求,引洪过程中没有明显的冲刷和淤积。

(4)田面基本平整(保留均匀坡度不超过1°),田块中不应有大块石砾及明显凹凸部位。

(5)田坎四周的蓄水埂密实,埂高达到一次漫灌的最大水深(一般高出地面0.5m以上)。

(6)洪水能迅速、均匀地淤漫全部地块,漫淤厚度达到设计要求。

4.3.2 引洪漫地单元工程质量检查项目与标准,应符合表4.3.1的规定。

4.3.3 引洪漫地单元工程质量检测项目与标准,应符合表4.3.2的规定。

4.3.4 引洪漫地单元工程质量检测的数量应符合以下要求:渠系工程应全部检测,引洪地块抽检总面积的50%;在每级渠道中部和距两端各约1/5处测定其比降及横断面尺寸。

表 4.3.1 引洪漫地质量检查项目与标准

项次	检查项目	质量标准
1	总体布局	符合设计,渠首、渠系及田间工程配套
2	渠首工程	符合设计要求,工程设施完好无损(或及时修复),能满足拦(引)洪要求
3	各级渠系	无显著的冲淤,损毁部分及时补修
4	田面基本平整	田块中不应有大块石砾及明显凹凸部位
5	田边蓄水埂	密实无塌陷、陷坑现象

表 4.3.2 引洪漫地质量检测项目与标准

项次	检测项目	质量标准
1	渠道比降	符合设计要求(干、支、斗渠比降一般分别为0.2%~0.3%、0.3%~0.5%、0.5%~1.0%)
2	渠道横断面面积	允许偏差为设计尺寸的±10%

4.3.5 引洪漫地单元工程质量评定标准应符合以下规定:

(1)合格标准。检查项目符合质量标准;检测项目的合格率不小于70%。

(2)优良标准。检查项目符合质量标准;检测项目的合格率不小于90%。

5 植物工程单元工程质量评定标准

5.1 造林工程

5.1.1 造林工程包括乔木林、灌木林和经济林。

5.1.2 造林工程应符合以下要求：

(1)苗木等级达到设计苗龄质量等级二级以上；苗木根系完好，木质化充分，无机械损伤，无病虫害。

(2)造林整地：

1)形式及规格应符合设计要求；

2)整地工程的填方土埂，应分层夯实或踩实；

3)整地开挖应将表土堆置一旁，底土作埂，挖好后表土回填；

4)带状整地应沿等高线进行，施工前用水准仪测量定线，保证水平，每条带5～10m中间修一高0.2m左右土埂。

(3)栽植：

1)树种及造林密度应符合设计要求；

2)定植穴宽度、深度应大于苗木根幅和根长，栽植时苗木应栽正扶直，深浅适宜，根系舒展；

3)填土应先填表土湿土，后填心土干土，分层覆土，分层踩实，表层覆一层虚土。

(4)在多年平均降水量大于400mm地区造林或灌溉造林，造林成活率不小于85%；在多年平均降水量小于400mm地区造林，造林成活率不小于70%。

5.1.3 造林单元工程质量检查项目与标准，应符合表5.1.1的规定。

表 5.1.1 造林质量检查项目与标准

项次	检查项目	质量标准
1	苗木	质量等级二级以上
2	整地	整地形式及规格符合设计要求;土埂修筑密实,带状整地应保证条带水平
3	栽植	树种及密度符合设计要求,苗木应栽正踩实

5.1.4 造林单元工程质量检测项目与标准,应符合表 5.1.2 的规定。

表 5.1.2 造林质量检测项目与标准

项次	检测项目	质量标准
1	成活率	多年平均降水量大于 400mm 地区或灌溉造林,造林成活率不应小于 85%;多年平均降水量小于 400mm 地区,造林成活率不应小于 70%

5.1.5 造林单元工程质量检测的数量应符合以下要求:

(1)单元工程 5 个以下时全检;单元工程 5~20 个时抽检 5 个;单元工程 20 个以上时,随机抽检单元工程数的 25%。

(2)单元工程样地检验数量,根据单元工程面积大小确定,一般抽取 5~10 个;密度测定样方 10m×10m(经济林 30m×30m),造林成活率测定样方 30m×30m。

5.1.6 造林单元工程质量评定标准应符合以下规定:

(1)合格标准。苗木达到标准,整地、栽植合格率不小于 80%;检测项目的合格率不小于 80%。

(2)优良标准。苗木达到标准,整地、栽植合格率不小于 80%;检测项目的合格率不小于 90%。

5.2 果 园

5.2.1 果园建设应符合以下要求:

(1)苗木等级达到设计苗龄质量等级二级以上;苗木根系完好,木质化充分,无机械损伤,无病虫害。

(2)整地:

1)整地规格应符合设计要求;

2)整地工程的填方土埂,应分层夯实或踩实;

3)整地开挖应将表土堆置一旁,底土作埂,挖好后表土回填;

4)水平阶、水平沟、梯田等带状整地工程应沿等高线进行,施工前用水准仪测量定线,保证水平。

(3)栽植:

1)栽植密度应符合设计要求;

2)定植穴宽度、深度应大于苗木根幅和根长,栽植时苗木应栽正扶直,深浅适宜,根系舒展;

3)填土应先将表土湿土和有机肥混合,填入穴的下层,再填心土干土,分层覆土,分层踩实,表层覆一层虚土。

(4)排灌设施:

1)排灌设施的布设、规格应符合设计要求;

2)满足果园灌溉与排水的要求;

3)排灌设施坚固耐用,无破损、跑水、漏水现象;下埋管道接头应连接牢固,无漏水现象,管道下埋深度应达到冻土层以下。

(5)道路:

1)道路布设、规格应符合设计要求;

2)道路应平整坚实,满足果园作业需求;

3)道路应便于排水。

(6)防护林:

1)防护林布设、规格应符合设计要求;

2)防护林应与果园道路、排灌系统相结合,主林带与主害风方向垂直;

3)防护林树木生长健壮良好。

(7)苗木栽植成活率不小于95%。

5.2.2 果园单元工程质量检查项目与标准,应符合表5.2.1的规定。

表5.2.1 果园质量检查项目与标准

项次	检查项目	质量标准
1	苗木	质量等级二级以上
2	整地	整地形式及规格符合设计要求;土埂修筑密实,带状整地应保证条带水平
3	栽植	栽植密度符合设计要求,苗木应栽正踩实
4	排灌设施	无破损、跑水、漏水现象,排灌设施的布设、规格符合设计要求
5	道路	道路布设、规格符合设计要求,路面平整坚实
6	防护林	防护林布设、规格符合设计要求

5.2.3 果园单元工程质量检测项目与标准,应符合表5.2.2的规定。

表5.2.2 果园质量检测项目与标准

项次	检测项目	质量标准
1	成活率	苗木栽植成活率不小于95%

5.2.4 果园单元工程质量检测的数量应符合以下要求:根据检测单元工程面积大小确定,一般抽取5~10个,苗木栽植成活率测定样方30m×30m。

5.2.5 果园单元工程质量评定标准应符合以下规定:

(1)合格标准。检查项目符合质量标准;检测项目的合格率不小于80%。

(2)优良标准。检查项目符合质量标准;检测项目的合格率不小于90%。

5.3 人工种草

5.3.1 人工种草应符合以下要求:

(1)种子质量等级达到国家或省级规定质量等级标准三级以上。

(2)整地。整地规格符合设计要求;整地深度应达到20cm左右。

(3)播种:

1)播种密度符合设计要求;

2)播种深度大粒种3~4cm,小粒种1~2cm,播种后应镇压。

(4)成苗数不应小于30株/m^2。

5.3.2 人工种草单元工程质量检查项目与标准,应符合表5.3.1的规定。

表5.3.1 人工种草质量检查项目与标准

项次	检查项目	质量标准
1	种子	质量等级三级以上
2	整地	应达到精耕细作,整地规格符合设计要求
3	播种	播种草种与播种密度符合设计要求;播种深度适宜,播后应镇压

5.3.3 人工种草单元工程质量检测项目与标准,应符合表5.3.2的规定。

表5.3.2 人工种草质量检测项目与标准

项次	检测项目	质量标准
1	成苗数	成苗数不小于30株/m^2

5.3.4 人工种草单元工程质量检测的数量应符合以下要求：

(1)单元工程 5 个以下时全检；单元工程 5～20 个时检验 5 个；单元工程 20 个以上时，随机抽检单元工程的 25%。

(2)单元工程样地检测，根据抽检单元工程面积大小确定，一般抽取 5～10 个；成苗数测定样方 2m×2m。

5.3.5 人工种草单元工程质量评定标准应符合以下规定：

(1)合格标准。种子质量达到标准，整地、播种合格率不小于 80%；检测项目的合格率不小于 80%。

(2)优良标准。种子质量达到标准，整地、播种合格率不小于 80%；检测项目的合格率不小于 90%。

5.4 育 苗

5.4.1 育苗应符合以下要求：

(1)育苗种子质量等级达到二级以上。

(2)苗床：

1)苗床规格应符合设计要求；

2)苗床应深耕细作，清除草根、石块，地平土碎；

3)苗床应灌溉方便，排水良好。

(3)播种：

1)播种前应进行种子处理；

2)播种密度应符合设计播幅和行距。

(4)产苗量应达到设计要求；符合二级以上质量标准的苗木不少于 80%，无病虫害。

5.4.2 育苗单元工程质量检查项目与标准，应符合表 5.4.1 的规定。

5.4.3 育苗单元工程质量检测项目与标准，应符合表 5.4.2 的规定。

5.4.4 育苗单元工程质量检测的数量应符合以下要求：根据检测

单元工程面积大小，一般抽取 5～10 个 2m×2m 样方进行质量检测。

表 5.4.1 育苗质量检查项目与标准

项次	检查项目	质量标准
1	种子	质量等级二级以上
2	苗床	苗床应深耕细作、灌溉方便、排水良好，规格符合设计要求
3	播种	播种密度符合设计播幅和行距

表 5.4.2 育苗质量检测项目与标准

项次	检测项目	质量标准
1	产苗量	产苗量应达到设计要求；符合二级以上质量标准的苗木不少于 80%

5.4.5 育苗单元工程质量评定标准应符合以下规定：

(1)合格标准。检查项目符合质量标准；检测项目的合格率不小于 80%。

(2)优良标准。检查项目符合质量标准；检测项目的合格率不小于 90%。

5.5 生态修复(包括封禁治理)

5.5.1 生态修复应符合以下要求：

(1)围栏。围栏规格符合设计要求，制作坚固耐用，埋置时要绷紧、埋实。

(2)修复标志。修复区四周具有明确的修复标志，修复界限明显，修复区具有符合设计要求的宣传碑(牌)。

(3)抚育管理。修复区应按照设计要求，对封山育林区进行补植、修枝、平茬、疏伐；对封坡育草区进行补播、铲除毒草等。

(4)法规制度。应具有配套的法规制度和相应的乡规民约。

(5)管护。封禁地块配备专职及兼职管护人员,具备基本工作条件;修复区无人畜毁林、草事件,轮封轮牧区按规定时间实施封禁和放牧。

(6)动态监测。按照设计要求,进行植被、水土流失、动物、病虫害等动态监测,应设施到位、人员到位、监测到位。

(7)植被覆盖度。修复措施符合设计方案,修复期3~5年后,林、草覆盖度达70%以上。

5.5.2 生态修复单元工程质量检查项目与标准,应符合表5.5.1的规定。

表5.5.1 生态修复质量检查项目与标准

项次	检查项目	质量标准
1	围栏	围栏规格符合设计要求,埋置时要绷紧、埋实
2	修复标志	修复区应具有明确的修复标志,修复界限明显
3	抚育管理	修复区应采取补植、补播、修枝、疏伐、防治病虫害等措施
4	法规制度	应具有配套的法规制度及乡规民约
5	管护	封禁地块配备专职及兼职管护人员,修复区无人畜毁林、草事件
6	动态监测	应设施到位、人员到位、监测到位

5.5.3 生态修复单元工程质量检测项目与标准,应符合表5.5.2的规定。

表5.5.2 生态修复质量检测项目与标准

项次	检测项目	质量标准
1	植被覆盖度	修复3~5年后,林、草覆盖度应达70%以上

5.5.4 生态修复单元工程质量检测的数量应符合以下要求:

(1)随机抽取单元工程的20%进行检验。

(2)单元工程样地检测,按单元工程面积 $4hm^2$ 以下、4~$10hm^2$、大于 $10hm^2$,分别设置样地2~4个、5~7个、8个以上;林草覆盖度测定,样方面积分别为林地20m×20m、草地2m×2m。

5.5.5 生态修复单元工程质量评定标准应符合以下规定:

(1)合格标准。检查项目符合质量标准;检测项目的合格率不小于80%。

(2)优良标准。检查项目符合质量标准;检测项目的合格率不小于90%。

6 小型水保工程单元工程质量评定标准

6.1 沟头防护

6.1.1 沟头防护包括蓄水式和排水式两类沟头防护工程。

6.1.2 沟头防护工程施工应符合以下要求：

(1)蓄水式(包括围埂式和池埂结合式)沟埂应顺沟沿等高修筑,土埂距沟头(沿)的距离不小于2m,蓄水池距沟头的距离不小于10m。

(2)蓄水式沟埂内每5～10m修一小土挡;排水式工程的引水渠、挑流槽(支柱)、消能设施等配套完善。

(3)蓄水式沟埂应按要求进行清基、分层夯实;排水式防护工程各构件与地面及岸坡结合稳固,能抵御20年一遇暴雨冲淘。

(4)沟头防护工程各部分规格尺寸均应符合设计要求。

6.1.3 沟头防护单元工程质量检查项目与标准,应符合表6.1.1的规定。

表6.1.1 沟头防护单元工程质量检查项目与标准

项次	检查项目	质量标准
1	工程布设	蓄水式沟埂顺沟沿线等高修筑,土埂距沟头(沿)的距离不小于3m,蓄水池距沟头的距离不小于10m
2	工程结构	蓄水式沟埂内每5～10m设一小土挡;排水式引水渠、挑流槽(支柱)、消能设施等配套完善
3	外观质量	蓄水式沟埂按要求进行清基分层夯实;排水式各构件与地面及岸坡结合稳固,免受暴雨冲淘

6.1.4　沟头防护单元工程质量检测项目与标准,应符合表6.1.2的规定。

表6.1.2　沟头防护单元工程质量检测项目与标准

项次	检测项目	质量标准
1	围埂断面尺寸	允许偏差:埂高、顶宽以及内、外坡比为设计尺寸的±10%
2	围埂干密度	用贯入法检测,达到设计要求
3	管(槽)、浆砌石等结构尺寸	允许偏差为设计尺寸的±5%

注:检测项目1、2项适用于蓄水式沟头防护工程;3项适用于排水式沟头防护工程。

6.1.5　沟头防护单元工程质量检测的数量应符合以下要求:蓄水式围埂分别在埂中部和距两端各约1/5处选3个横断面,采用贯入法,进行干密度检测;排水式防护工程每一结构单元抽检1处。

6.1.6　沟头防护单元工程质量评定标准应符合以下规定:

(1)合格标准。检查项目符合质量标准;检测项目的合格率不小于70%。

(2)优良标准。检查项目符合质量标准;检测项目的合格率不小于90%。

6.2　谷　　坊

6.2.1　谷坊包括土谷坊、石谷坊和柳谷坊。

6.2.2　谷坊施工应符合以下要求:

(1)谷坊布设合理,规格尺寸应符合定型设计。

(2)施工土料、石块、柳桩等材料符合设计要求。

(3)土、石谷坊施工前应按要求进行清基,土谷坊还应开挖结合槽。

(4)土谷坊应分层夯实,每层填土前先将坚实土层刨毛3～5cm,每层填土厚不超过30cm;石谷坊砌筑应从下而上分层、错缝砌筑，砂浆灌缝；柳谷坊应选择活柳枝，芽眼向上垂直打入沟底，各排桩呈“品”字形错开，柳梢编篱，底部用枝梢铺垫，各排桩之间或上游底部用石块或编织土袋填压。

6.2.3 谷坊单元工程质量检查项目与标准，应符合表6.2.1的规定。

表6.2.1 谷坊质量检查项目与标准

项次	检查项目	质量标准
1	布设合理	上、下谷坊基本符合“顶底相照”原则
2	清基与结合槽	浮土、杂物及强风化层全部清除，结合槽开挖达到设计要求
3	外观质量	土谷坊表面平整，外观密实无裂缝，边坡稳定，与岸坡结合紧密 石谷坊砌石要平，砌筑要稳，石料靠紧，砂浆灌满 柳谷坊插杆稳固，品字排开，柳梢编排顺密，排间用土、石填压

6.2.4 谷坊单元工程质量检测项目与标准，应符合表6.2.2的规定。

表6.2.2 谷坊质量检测项目与标准

项次	检测项目	质量标准
1	土谷坊压实指标	符合设计要求，允许偏差0～$-0.1t/m^3$
2	谷坊外形尺寸	高、顶宽允许偏差为设计尺寸的±5%

6.2.5 谷坊单元工程质量检测的数量应符合以下要求：随机抽检单元工程的30%；压实指标查验施工记录，外形尺寸沿谷坊两端及中部选3个断面进行检测。

6.2.6 谷坊单元工程质量评定标准应符合以下规定：

(1)合格标准。检查项目符合质量标准；检测项目的合格率不小于70%。

(2)优良标准。检查项目符合质量标准;检测项目的合格率不小于90%。

6.3 水　　窖

6.3.1　水窖包括井窖、窑窖和球形窖。

6.3.2　水窖施工应符合以下要求:

(1)水窖应建在庭院、路旁以及田间地头地表径流来源充足的地方。

(2)水窖设施齐备,除窖体外,径流入窖前应有沉沙池(无水泥净化集流场的水窖)和拦污栅,井口安有能上锁的水泥盖板或木板;对径流来源过大的水窖,还应有溢流口或与其他窖相连形成连环窖。

(3)窖体坚固,防渗效果好;沉沙池宜用砖石砌筑、水泥砂浆抹面,拦污栅宜用铅丝网结构;窖体应以混凝土浇筑,或以水泥砂浆砌粗料石并勾缝,或以水泥或石灰砂浆砌砖,以水泥砂浆抹面。

(4)水窖容积应达到设计要求。

(5)集流场硬化。

6.3.3　水窖单元工程质量检查项目与标准,应符合表6.3.1的规定。

表6.3.1　水窖质量检查项目与标准

项次	检查项目	质量标准
1	位置合理	水窖应建在庭院、路旁以及田间地头地表径流来源充足的地方
2	结构齐全	除窖体外,有集流场、沉沙池、拦污栅以及进水管等附属设施
3	防渗效果	窖体应以混凝土浇筑,或以水泥砂浆砌粗料石并勾缝,或以水泥或石灰砂浆砌砖,以水泥砂浆抹面
4	外观质量	窖体坚固,窖壁表面平顺、无裂缝
5	集流场	是否被硬化

6.3.4　水窖单元工程质量检验的数量应符合以下要求:随机至少抽检 5 个(总数 5 个以下全检),占水窖总数的 20%以上。

6.3.5　水窖单元工程质量评定标准应符合以下规定:

(1)合格标准。检查项目 1～4 项符合质量标准。

(2)优良标准。检查项目全部符合质量标准。

7　工程质量评定

7.1　施工质量评定的依据

7.1.1　本规程和国家及行业有关施工规程、规范及技术标准。

7.1.2　经批准的设计文件、施工图纸、设计变更以及厂家提供的说明书及有关技术文件。

7.1.3　工程承发包合同中采用的技术标准。

7.1.4　工程试运行期的试验及观测分析成果。

7.1.5　原材料和中间产品的质量检验证明或出厂合格证。

7.2　质量评定的组织与管理

7.2.1　单元工程质量应由施工单位质检部门组织自评，监理单位核定。

7.2.2　重要隐蔽工程及工程关键部位应在施工单位自评合格后，由监理单位复核，建设单位或委托监理单位组织核定。

7.2.3　分部工程质量评定应在施工单位质检部门自评的基础上，由监理单位复核，建设单位核定。

7.2.4　单位工程质量评定应在施工单位自评的基础上，由建设单位或委托监理单位复核，报质量监督机构核定。

7.2.5　工程项目的质量等级应由该项目质量监督机构在单位工程质量评定的基础上进行核定。工程质量评定报告格式见附录B。

7.2.6　质量事故应按“三不放过”原则，调查事故原因，研究处理措施，查明事故责任者。处理后应按处理方案的质量要求，重新进行工程质量检测和评定。

7.3 单元工程质量评定

7.3.1 单元工程质量达不到合格标准时,必须及时处理。其质量等级应按下列规定确定:

(1)全部返工重做的,可重新评定质量等级。

(2)经加固补强和完善后并经鉴定能达到设计要求,其质量只能评为合格。

7.3.2 建设单位或监理单位在核定单元工程质量时,除应检查工程现场外,还应对该单元工程的施工原始记录、质量检验记录等资料进行查验,确认单元工程质量评定表所填写的数据、内容的真实和完整性,必要时可进行抽检。并应在单元工程质量评定表中明确记载质量等级的核定意见。

7.4 分部工程质量评定

7.4.1 合格标准:

(1)单元工程质量全部合格。

(2)中间产品质量及原材料质量全部合格。

7.4.2 优良标准:

(1)单元工程质量全部合格,其中有50%以上达到优良;主要单元工程、重要隐蔽工程及关键部位的单元工程质量优良,且未发生过质量事故。

(2)中间产品和原材料质量全部合格。

7.5 单位工程质量评定

7.5.1 合格标准:

(1)分部工程质量全部合格。

(2)中间产品质量及原材料质量全部合格。

(3)治沟骨干工程外观质量得分率达到70%以上。

(4)施工质量检验资料基本齐全。

7.5.2 优良标准：

(1)分部工程质量全部合格,其中有50%以上达到优良;主要分部工程质量优良,且施工中未发生过重大质量事故。

(2)中间产品和原材料质量全部合格。

(3)治沟骨干工程外观质量得分率达到85%以上。

(4)施工质量检验资料齐全。

7.6 工程项目质量评定

7.6.1 合格标准。单位工程质量全部合格。

7.6.2 优良标准。单位工程质量全部合格,其中有50%以上的单位工程质量优良,且主要单位工程质量优良。

附录 A　工程项目划分表

工程项目划分表

<table>
<tr><th>单位工程</th><th>分部工程</th><th>单元工程划分</th></tr>
<tr><td rowspan="3">淤地坝</td><td>1. 地基开挖与处理</td><td>(1)土质坝基及岸坡清理:将坝左、右岸坡及坝基为基本单元工程;每个单元工程作业面积控制在 2 000m² 左右,不足 2 000m² 的可单独为一个单元工程
(2)石质坝基及岸坡清理:同土质坝基及岸坡清理
(3)土沟槽开挖及基础处理:按开挖长度每 50～100m划分为一个单元工程;不足 50m 的可单独为一个单元工程
(4)石质沟槽开挖及基础处理:同土沟槽开挖及基础处理
(5)石质平洞开挖:按开挖长度每 30～50m 划分为一个单元工程;不足 30m 的可单独为一个单元工程</td></tr>
<tr><td>2. 坝体填筑</td><td>(1)土坝机械碾压:按每一碾压层和作业面积划分单元工程;每一单元工程作业面积不超过 2 000m²
(2)水坠法填土:同土坝机械碾压</td></tr>
<tr><td>3. 排水、反滤体</td><td>(1)反滤体铺设:按铺设长度每 30～50m 划分为一个单元工程;不足 30m 的可单独为一个单元工程
(2)干砌石:按施工部位划分单元工程;每个单元工程量为 20～30m³,不足 20m³ 的可单独为一个单元工程
(3)坝坡修整:将上、下游坝坡为基本单元工程;每个单元工程作业面积不超过 2 000m²</td></tr>
</table>

续表

单位工程	分部工程	单元工程划分
淤地坝	4.溢洪道砌护	浆砌石:同干砌石
	5.放水工程	(1)浆砌混凝土预制件:按施工面长度划分单元工程;每30~50m划分为一个单元工程,不足30m的可单独为一个单元工程 (2)预制管安装:按施工面的长度划分单元工程;每50~100m划分为一个单元工程,不足50m的可单独为一个单元工程 (3)现浇混凝土:按施工部位划分单元工程;每个单元工程量为10~20m³,不足10 m³的可单独为一个单元工程
	6.小型淤地坝	以每座淤地坝为一个单元工程
基本农田	1.梯田	以设计每一图斑为一个单元工程;每个单元工程面积1~10hm²,大于10hm²的图斑可划分为两个以上单元工程
	2.小块水地	同水平梯、条田
	3.引洪漫地	以一个完整引洪区为一个单元工程;面积大于40hm²的可划分为两个以上单元工程
植物工程	1.乔木林	以设计每一图斑为一个单元工程;每个单元工程面积1~10hm²,大于10hm²的图斑可划分为两个以上单元工程
	2.灌木林	同乔木林
	3.经济林	同乔木林
	4.果 园	以每个果园为一个单元工程;面积大于10hm²的可划分为两个以上单元工程
	5.人工种草	同乔木林
	6.育 苗	同乔木林

续表

单位工程	分部工程	单元工程划分
植物工程	7. 生态修复(包括封禁治理)	以设计每一图斑为一个单元工程;每个单元工程面积不大于 $20hm^2$,大于 $20hm^2$ 的图斑可划分为两个以上单元工程
小型水保工程	1. 沟头防护	以每处沟头防护工程为一个单元工程
	2. 谷 坊	以每座谷坊工程为一个单元工程
	3. 水 窖	以每眼水窖为一个单元工程

注:单位工程中同类别工程可以划分为几个分部工程。

附录 B　工程质量评定报告格式

黄河水土保持生态工程质量评定报告

工程名称：

质量监督机构：

年　　月　　日

<table>
<tr><td>工程名称</td><td></td><td>建设地点</td><td></td></tr>
<tr><td>工程规模</td><td></td><td>所在流域</td><td></td></tr>
<tr><td>开工日期</td><td></td><td>完工日期</td><td></td></tr>
<tr><td>建设单位</td><td></td><td>监理单位</td><td></td></tr>
<tr><td>设计单位</td><td></td><td>施工单位</td><td></td></tr>
<tr><td colspan="4">一、工程设计及批复情况(简述工程主要设计指标、效益及主管部门的批复文件)</td></tr>
<tr><td colspan="4">二、质量监督情况(简述人员的配备、办法及手段)</td></tr>
</table>

三、质量数量分析(简述工程质量评定项目的划分,分部、单位工程的优良品率及中间产品质量分析计算结果)
四、质量事故及处理情况
五、遗留问题的说明
报告附件目录
工程质量等级意见 质量监督机构负责人:(签字) (公章) 年　　月　　日

附录C 单元工程质量评定表

表C.1.1 土质坝基及岸坡清理单元工程质量评定表

<table>
<tr><td colspan="3">单位工程名称</td><td></td><td>单元工程量</td><td></td><td>编号</td><td colspan="2"></td></tr>
<tr><td colspan="3">分部工程名称</td><td></td><td>检验日期</td><td colspan="4">年　月　日</td></tr>
<tr><td colspan="3">单元工程名称、部位</td><td></td><td>评定日期</td><td colspan="4">年　月　日</td></tr>
<tr><td colspan="2">项次</td><td>项目名称</td><td>质量标准</td><td colspan="4">检验结果</td><td>评定</td></tr>
<tr><td rowspan="3">检查项目</td><td>1</td><td>坝基及岸坡杂物清理</td><td>树木、草皮、树根、乱石及各种建筑物全部清除，并做好水井、洞穴、泉眼、坟墓等处理</td><td colspan="4"></td><td></td></tr>
<tr><td>2</td><td>坝基及岸坡基础清理</td><td>粉土、细砂、淤泥、腐殖土、泥炭应全部清除；对风化岩石、坡积物、残积物、滑坡体等均应按设计要求处理</td><td colspan="4"></td><td></td></tr>
<tr><td>3</td><td>探坑、试坑处理</td><td>按设计要求处理</td><td colspan="4"></td><td></td></tr>
<tr><td colspan="2">项次</td><td>项目名称</td><td>质量标准</td><td>设计值</td><td>实测值</td><td>合格数（点）</td><td>合格率（%）</td><td>评定</td></tr>
<tr><td rowspan="2">检测项目</td><td>1</td><td>坝基清理</td><td>允许偏差：人工施工：大于30cm；机械施工：大于50cm</td><td></td><td></td><td></td><td></td><td></td></tr>
<tr><td>2</td><td>岸坡坡度</td><td>不陡于设计边坡</td><td></td><td></td><td></td><td></td><td></td></tr>
<tr><td colspan="3">施工单位自评意见</td><td>质量等级</td><td colspan="2">监理单位核定意见</td><td colspan="3">核定质量等级</td></tr>
<tr><td colspan="3">检查项目质量全部符合质量标准，检测项目合格率____%</td><td></td><td colspan="2"></td><td colspan="3"></td></tr>
<tr><td colspan="3">施工单位名称</td><td></td><td colspan="2">监理单位名称</td><td colspan="3"></td></tr>
<tr><td colspan="3">检查负责人</td><td></td><td colspan="2">核定人</td><td colspan="3"></td></tr>
</table>

表 C.1.2　石质坝基及岸坡清理单元工程质量评定表

<table>
<tr><td colspan="3">单位工程名称</td><td></td><td>单元工程量</td><td></td><td>编号</td><td colspan="2"></td></tr>
<tr><td colspan="3">分部工程名称</td><td></td><td>检验日期</td><td colspan="4">年　月　日</td></tr>
<tr><td colspan="3">单元工程名称、部位</td><td></td><td>评定日期</td><td colspan="4">年　月　日</td></tr>
<tr><td colspan="2">项次</td><td>项目名称</td><td>质量标准</td><td colspan="4">检验结果</td><td>评定</td></tr>
<tr><td rowspan="3">检查项目</td><td>1</td><td>岸坡及地基开挖</td><td>岸坡开挖应按设计边坡要求进行,断层破碎带应采用深挖充填方法处理</td><td colspan="4"></td><td></td></tr>
<tr><td>2</td><td>基础面要求</td><td>基础面无松动岩块、悬挂体、陡坎、尖角等,且无爆破裂缝</td><td colspan="4"></td><td></td></tr>
<tr><td>3</td><td>开挖面要求</td><td>开挖面平整,无反坡及陡于设计的坡度</td><td colspan="4"></td><td></td></tr>
<tr><td colspan="2">项次</td><td>项目名称</td><td>质量标准</td><td>设计值</td><td>实测值</td><td>合格数(点)</td><td>合格率(%)</td><td>评定</td></tr>
<tr><td rowspan="4">检测项目</td><td>1</td><td>标 高</td><td>允许偏差 -10~+20cm</td><td></td><td></td><td></td><td></td><td></td></tr>
<tr><td rowspan="2">2</td><td>坡面局部超、欠挖(坡面斜长 15m 以内)</td><td>允许偏差 -20~+30cm</td><td></td><td></td><td rowspan="2"></td><td rowspan="2"></td><td rowspan="2"></td></tr>
<tr><td>坡面局部超、欠挖(坡面斜长 15m 以上)</td><td>允许偏差 -30~+50cm</td><td></td><td></td></tr>
<tr><td>3</td><td>长宽边线范围</td><td>允许偏差 0~+50cm</td><td></td><td></td><td></td><td></td><td></td></tr>
<tr><td colspan="3">施工单位自评意见</td><td>质量等级</td><td colspan="2">监理单位核定意见</td><td colspan="3">核定质量等级</td></tr>
<tr><td colspan="3">检查项目质量全部符合质量标准,检测项目合格率____%</td><td></td><td colspan="2"></td><td colspan="3"></td></tr>
<tr><td colspan="3">施工单位名称</td><td></td><td colspan="2">监理单位名称</td><td colspan="3"></td></tr>
<tr><td colspan="3">检查负责人</td><td></td><td colspan="2">核定人</td><td colspan="3"></td></tr>
</table>

表 C.1.3　土沟槽开挖及基础处理单元工程质量评定表

<table>
<tr><td colspan="2">单位工程名称</td><td></td><td>单元工程量</td><td></td><td colspan="2">编号</td><td></td></tr>
<tr><td colspan="2">分部工程名称</td><td></td><td>检验日期</td><td colspan="4">年　月　日</td></tr>
<tr><td colspan="2">单元工程名称、部位</td><td></td><td>评定日期</td><td colspan="4">年　月　日</td></tr>
<tr><td>项次</td><td>项目名称</td><td>质量标准</td><td colspan="4">检验结果</td><td>评定</td></tr>
<tr><td>检查项目 1</td><td>沟槽开挖</td><td>开挖断面尺寸、坡度、水平位置、高程应按设计要求进行</td><td colspan="4"></td><td></td></tr>
<tr><td>检查项目 2</td><td>基础处理</td><td>除岸坡结合槽基础外,其他沟槽基础必须进行处理</td><td colspan="4"></td><td></td></tr>
<tr><td>项次</td><td>项目名称</td><td>质量标准</td><td>设计值</td><td>实测值</td><td>合格数(点)</td><td>合格率(%)</td><td>评定</td></tr>
<tr><td>检测项目 1</td><td>标高</td><td>允许偏差 0～+5cm</td><td></td><td></td><td></td><td></td><td></td></tr>
<tr><td>检测项目 2</td><td>宽、深边线范围</td><td>允许偏差 0～+10cm</td><td></td><td></td><td></td><td></td><td></td></tr>
<tr><td colspan="2">施工单位自评意见</td><td>质量等级</td><td colspan="2">监理单位核定意见</td><td colspan="3">核定质量等级</td></tr>
<tr><td colspan="2">检查项目质量全部符合质量标准,检测项目合格率____%</td><td></td><td colspan="2"></td><td colspan="3"></td></tr>
<tr><td colspan="2">施工单位名称</td><td></td><td colspan="2">监理单位名称</td><td colspan="3"></td></tr>
<tr><td colspan="2">检查负责人</td><td></td><td colspan="2">核定人</td><td colspan="3"></td></tr>
</table>

表 C.1.4 石质沟槽开挖及基础处理单元工程质量评定表

<table>
<tr><td colspan="3">单位工程名称</td><td></td><td>单元工程量</td><td></td><td>编号</td><td colspan="2"></td></tr>
<tr><td colspan="3">分部工程名称</td><td></td><td>检验日期</td><td colspan="4">年 月 日</td></tr>
<tr><td colspan="3">单元工程名称、部位</td><td></td><td>评定日期</td><td colspan="4">年 月 日</td></tr>
<tr><td colspan="2">项次</td><td>项目名称</td><td>质量标准</td><td colspan="4">检验结果</td><td>评定</td></tr>
<tr><td rowspan="3">检查项目</td><td>1</td><td>石沟槽开挖</td><td>开挖断面尺寸、坡度、水平位置、高程应按设计要求进行</td><td colspan="4"></td><td></td></tr>
<tr><td>2</td><td>基础处理</td><td>基础面无松动岩块、悬挂体、陡坎、尖角等,且无爆破裂缝</td><td colspan="4"></td><td></td></tr>
<tr><td>3</td><td>开挖面</td><td>开挖面平整,无反坡及陡于设计坡度</td><td colspan="4"></td><td></td></tr>
<tr><td colspan="2">项次</td><td>项目名称</td><td>质量标准</td><td>设计值</td><td>实测值</td><td>合格数（点）</td><td>合格率（%）</td><td>评定</td></tr>
<tr><td rowspan="2">检测项目</td><td>1</td><td>标高</td><td>允许偏差 －10～＋20cm</td><td></td><td></td><td></td><td></td><td></td></tr>
<tr><td>2</td><td>宽、深边线范围</td><td>允许偏差 0～＋30cm</td><td></td><td></td><td></td><td></td><td></td></tr>
<tr><td colspan="3">施工单位自评意见</td><td>质量等级</td><td colspan="2">监理单位核定意见</td><td colspan="3">核定质量等级</td></tr>
<tr><td colspan="3">检查项目质量全部符合质量标准,检测项目合格率____%</td><td></td><td colspan="2"></td><td colspan="3"></td></tr>
<tr><td colspan="3">施工单位名称</td><td></td><td colspan="2">监理单位名称</td><td colspan="3"></td></tr>
<tr><td colspan="3">检查负责人</td><td></td><td colspan="2">核定人</td><td colspan="3"></td></tr>
</table>

表 C.1.5 石质平洞开挖单元工程质量评定表

<table>
<tr><td colspan="3">单位工程名称</td><td></td><td>单元工程量</td><td></td><td>编号</td><td colspan="2"></td></tr>
<tr><td colspan="3">分部工程名称</td><td></td><td>检验日期</td><td colspan="4">年 月 日</td></tr>
<tr><td colspan="3">单元工程名称、部位</td><td></td><td>评定日期</td><td colspan="4">年 月 日</td></tr>
<tr><td colspan="2">项次</td><td>项目名称</td><td>质量标准</td><td colspan="4">检验结果</td><td>评定</td></tr>
<tr><td rowspan="4">检查项目</td><td>1</td><td>开挖岩面</td><td>无松动岩块、小块悬挂体</td><td colspan="4"></td><td></td></tr>
<tr><td>2</td><td>结构尺寸</td><td>开挖断面尺寸、坡度、水平位置、高程应按设计要求进行</td><td colspan="4"></td><td></td></tr>
<tr><td>3</td><td>地质弱面处理</td><td>符合设计要求</td><td colspan="4"></td><td></td></tr>
<tr><td>4</td><td>洞室轴线</td><td>符合设计要求</td><td colspan="4"></td><td></td></tr>
<tr><td colspan="2">项次</td><td>项目名称</td><td>质量标准</td><td>设计值</td><td>实测值</td><td>合格数（点）</td><td>合格率（%）</td><td>评定</td></tr>
<tr><td rowspan="4">检测项目</td><td>1</td><td>洞底高程</td><td>允许偏差 -10～+20cm</td><td></td><td></td><td></td><td></td><td></td></tr>
<tr><td>2</td><td>拱圈半径</td><td>允许偏差 -10～+20cm</td><td></td><td></td><td></td><td></td><td></td></tr>
<tr><td>3</td><td>侧墙高度</td><td>允许偏差 -10～+20cm</td><td></td><td></td><td></td><td></td><td></td></tr>
<tr><td>4</td><td>开挖面平整度</td><td>允许偏差 ±15cm</td><td></td><td></td><td></td><td></td><td></td></tr>
<tr><td colspan="3">施工单位自评意见</td><td>质量等级</td><td colspan="2">监理单位核定意见</td><td colspan="3">核定质量等级</td></tr>
<tr><td colspan="3">检查项目质量全部符合质量标准，检测项目合格率____%</td><td></td><td colspan="2"></td><td colspan="3"></td></tr>
<tr><td colspan="3">施工单位名称</td><td></td><td colspan="2">监理单位名称</td><td colspan="3"></td></tr>
<tr><td colspan="3">检查负责人</td><td></td><td colspan="2">核定人</td><td colspan="3"></td></tr>
</table>

表 C.1. 6 土坝机械碾压单元工程质量评定表

<table>
<tr><td colspan="2">单位工程名称</td><td></td><td>单元工程量</td><td></td><td>编号</td><td colspan="2"></td></tr>
<tr><td colspan="2">分部工程名称</td><td></td><td>检验日期</td><td colspan="4">年 月 日</td></tr>
<tr><td colspan="2">单元工程名称、部位</td><td></td><td>评定日期</td><td colspan="4">年 月 日</td></tr>
<tr><td colspan="2">项次</td><td>项目名称</td><td>质量标准</td><td colspan="4">检验结果</td><td>评定</td></tr>
<tr><td rowspan="4">检查项目</td><td>1</td><td>上坝土料土质、含水率</td><td>土质、含水率符合设计要求</td><td colspan="4"></td><td></td></tr>
<tr><td>2</td><td>碾压作业程序</td><td>碾压机械行走方向应平行于坝轴线，碾迹及搭接碾压符合要求</td><td colspan="4"></td><td></td></tr>
<tr><td>3</td><td>土块直径</td><td>小于 5cm</td><td colspan="4"></td><td></td></tr>
<tr><td>4</td><td>分段施工</td><td>符合设计要求</td><td colspan="4"></td><td></td></tr>
<tr><td colspan="2">项次</td><td>项目名称</td><td>质量标准</td><td>设计值</td><td>实测值</td><td>合格数（点）</td><td>合格率（%）</td><td>评定</td></tr>
<tr><td rowspan="2">检测项目</td><td>1</td><td>铺土厚度</td><td>允许偏差 0～－5cm</td><td></td><td></td><td></td><td></td><td></td></tr>
<tr><td>2</td><td>压实指标</td><td>符合设计要求</td><td></td><td></td><td></td><td></td><td></td></tr>
<tr><td colspan="3">施工单位自评意见</td><td>质量等级</td><td colspan="2">监理单位核定意见</td><td colspan="3">核定质量等级</td></tr>
<tr><td colspan="3">检查项目质量全部符合质量标准，检测项目合格率____%</td><td></td><td colspan="2"></td><td colspan="3"></td></tr>
<tr><td colspan="3">施工单位名称</td><td></td><td colspan="2">监理单位名称</td><td colspan="3"></td></tr>
<tr><td colspan="3">检查负责人</td><td></td><td colspan="2">核定人</td><td colspan="3"></td></tr>
</table>

表 C.1.7 水坠法填土单元工程质量评定表

<table>
<tr><td colspan="3">单位工程名称</td><td></td><td>单元工程量</td><td></td><td>编号</td><td colspan="2"></td></tr>
<tr><td colspan="3">分部工程名称</td><td></td><td>检验日期</td><td colspan="4">年 月 日</td></tr>
<tr><td colspan="3">单元工程名称、部位</td><td></td><td>评定日期</td><td colspan="4">年 月 日</td></tr>
<tr><td colspan="2">项次</td><td>项目名称</td><td>质量标准</td><td colspan="4">检验结果</td><td>评定</td></tr>
<tr><td rowspan="3">检查项目</td><td>1</td><td>冲填土质</td><td>符合设计要求</td><td colspan="4"></td><td></td></tr>
<tr><td>2</td><td>边埂、冲填表面</td><td>边埂质量达到设计要求，坝坡无鼓肚，坝面无积水</td><td colspan="4"></td><td></td></tr>
<tr><td>3</td><td>冲填速度</td><td>符合施工设计</td><td colspan="4"></td><td></td></tr>
<tr><td colspan="2">项次</td><td>项目名称</td><td>质量标准</td><td>设计值</td><td>实测值</td><td>合格数(点)</td><td>合格率(%)</td><td>评定</td></tr>
<tr><td rowspan="4">检测项目</td><td rowspan="2">1</td><td rowspan="2">边埂干密度</td><td>合格:合格率70%以上</td><td rowspan="2"></td><td rowspan="2"></td><td rowspan="2"></td><td rowspan="2"></td><td rowspan="2"></td></tr>
<tr><td>优良:合格率90%以上</td></tr>
<tr><td rowspan="2">2</td><td rowspan="2">泥浆浓度</td><td>合格:合格率80%以上</td><td rowspan="2"></td><td rowspan="2"></td><td rowspan="2"></td><td rowspan="2"></td><td rowspan="2"></td></tr>
<tr><td>优良:合格率90%以上</td></tr>
<tr><td colspan="3">施工单位自评意见</td><td>质量等级</td><td colspan="2">监理单位核定意见</td><td colspan="3">核定质量等级</td></tr>
<tr><td colspan="3">检查项目质量全部符合质量标准，检测项目合格率____%</td><td></td><td colspan="2"></td><td colspan="3"></td></tr>
<tr><td colspan="3">施工单位名称</td><td></td><td colspan="2">监理单位名称</td><td colspan="3"></td></tr>
<tr><td colspan="3">检查负责人</td><td></td><td colspan="2">核定人</td><td colspan="3"></td></tr>
</table>

表 C.1.8　反滤体铺设单元工程质量评定表

<table>
<tr><td colspan="3">单位工程名称</td><td></td><td>单元工程量</td><td></td><td>编号</td><td colspan="2"></td></tr>
<tr><td colspan="3">分部工程名称</td><td></td><td>检验日期</td><td colspan="4">年　月　日</td></tr>
<tr><td colspan="3">单元工程名称、部位</td><td></td><td>评定日期</td><td colspan="4">年　月　日</td></tr>
<tr><td colspan="2">项次</td><td>项目名称</td><td>质量标准</td><td colspan="4">检验结果</td><td>评定</td></tr>
<tr><td rowspan="4">检查项目</td><td>1</td><td>反滤体基面</td><td>符合设计要求</td><td colspan="4"></td><td></td></tr>
<tr><td>2</td><td>反滤料</td><td>粒径、级配、坚硬度、抗冻性和渗透系数必须符合设计要求</td><td colspan="4"></td><td></td></tr>
<tr><td>3</td><td>反滤体压实</td><td>密实,严禁漏压和欠压,符合设计要求</td><td colspan="4"></td><td></td></tr>
<tr><td>4</td><td>分段施工</td><td>符合施工设计</td><td colspan="4"></td><td></td></tr>
<tr><td colspan="2">项次</td><td>项目名称</td><td>质量标准</td><td>设计值</td><td>实测值</td><td>合格数（点）</td><td>合格率（%）</td><td>评定</td></tr>
<tr><td rowspan="4">检测项目</td><td rowspan="2">1</td><td rowspan="2">含泥量</td><td>合格:小于 5%</td><td rowspan="2"></td><td rowspan="2"></td><td rowspan="2"></td><td rowspan="2"></td><td rowspan="2"></td></tr>
<tr><td>优良:小于 3%</td></tr>
<tr><td rowspan="2">2</td><td rowspan="2">每层厚度偏小值</td><td>合格:不大于设计厚度 15% 的合格点不少于 70%</td><td rowspan="2"></td><td rowspan="2"></td><td rowspan="2"></td><td rowspan="2"></td><td rowspan="2"></td></tr>
<tr><td>优良:不大于设计厚度 15% 的合格点不少于 90%</td></tr>
<tr><td colspan="3">施工单位自评意见</td><td>质量等级</td><td colspan="2">监理单位核定意见</td><td colspan="3">核定质量等级</td></tr>
<tr><td colspan="3">检查项目质量全部符合质量标准,检测项目合格率____%</td><td></td><td colspan="2"></td><td colspan="3"></td></tr>
<tr><td colspan="3">施工单位名称</td><td></td><td colspan="2">监理单位名称</td><td colspan="3"></td></tr>
<tr><td colspan="3">检查负责人</td><td></td><td colspan="2">核定人</td><td colspan="3"></td></tr>
</table>

表 C.1.9　坝坡修整单元工程质量评定表

<table>
<tr><td colspan="3">单位工程名称</td><td></td><td>单元工程量</td><td></td><td>编号</td><td colspan="2"></td></tr>
<tr><td colspan="3">分部工程名称</td><td></td><td>检验日期</td><td colspan="4">年　月　日</td></tr>
<tr><td colspan="3">单元工程名称、部位</td><td></td><td>评定日期</td><td colspan="4">年　月　日</td></tr>
<tr><td colspan="2">项次</td><td>项目名称</td><td>质量标准</td><td colspan="4">检验结果</td><td>评定</td></tr>
<tr><td rowspan="3">检查项目</td><td>1</td><td>削坡</td><td>符合设计要求</td><td colspan="4"></td><td></td></tr>
<tr><td>2</td><td>排水设施</td><td>位置、结构尺寸应符合设计要求</td><td colspan="4"></td><td></td></tr>
<tr><td>3</td><td>生物护坡</td><td>选择易生根、能蔓延、耐旱的草灌类种植</td><td colspan="4"></td><td></td></tr>
<tr><td colspan="2">项次</td><td>项目名称</td><td>质量标准</td><td>设计值</td><td>实测值</td><td>合格数（点）</td><td>合格率（%）</td><td>评定</td></tr>
<tr><td rowspan="2">检测项目</td><td>1</td><td>削坡坡比</td><td>允许偏差为设计值的±5%</td><td></td><td></td><td></td><td></td><td></td></tr>
<tr><td>2</td><td>排水渠宽、深</td><td>允许偏差为设计尺寸的±5%</td><td></td><td></td><td></td><td></td><td></td></tr>
<tr><td colspan="3">施工单位自评意见</td><td>质量等级</td><td colspan="2">监理单位核定意见</td><td colspan="3">核定质量等级</td></tr>
<tr><td colspan="3">检查项目质量全部符合质量标准，检测项目合格率____%</td><td></td><td colspan="2"></td><td colspan="3"></td></tr>
<tr><td colspan="3">施工单位名称</td><td></td><td colspan="2">监理单位名称</td><td colspan="3"></td></tr>
<tr><td colspan="3">检查负责人</td><td></td><td colspan="2">核定人</td><td colspan="3"></td></tr>
</table>

表 C.1.10　干砌石单元工程质量评定表

<table>
<tr><td colspan="2">单位工程名称</td><td></td><td>单元工程量</td><td></td><td>编号</td><td colspan="2"></td></tr>
<tr><td colspan="2">分部工程名称</td><td></td><td>检验日期</td><td colspan="4">年　月　日</td></tr>
<tr><td colspan="2">单元工程名称、部位</td><td></td><td>评定日期</td><td colspan="4">年　月　日</td></tr>
<tr><td>项次</td><td>项目名称</td><td>质量标准</td><td colspan="4">检验结果</td><td>评定</td></tr>
<tr><td>检查项目 1</td><td>面石用料</td><td>大小均匀，质地坚硬，不得使用风化石料，单块重量不小于20kg，最小边不小于20cm</td><td colspan="4"></td><td></td></tr>
<tr><td>检查项目 2</td><td>腹石砌筑</td><td>排紧挤实，无淤泥杂质</td><td colspan="4"></td><td></td></tr>
<tr><td>检查项目 3</td><td>面石砌筑</td><td>严禁使用小块石，不得出现通缝、浮石、空洞</td><td colspan="4"></td><td></td></tr>
<tr><td>检查项目 4</td><td>缝 宽</td><td>无宽度在 1.5cm 以上、长度在 0.5m 以上的连续缝</td><td colspan="4"></td><td></td></tr>
<tr><td>项次</td><td>项目名称</td><td>质量标准</td><td>设计值</td><td>实测值</td><td>合格数（点）</td><td>合格率（%）</td><td>评定</td></tr>
<tr><td>检测项目 1</td><td>砌石厚度</td><td>允许偏差为设计厚度的±5%</td><td></td><td></td><td></td><td></td><td></td></tr>
<tr><td>检测项目 2</td><td>表面平整度</td><td>用 2m 直尺测量，凹凸差为±5cm</td><td></td><td></td><td></td><td></td><td></td></tr>
<tr><td colspan="2">施工单位自评意见</td><td>质量等级</td><td colspan="2">监理单位核定意见</td><td colspan="3">核定质量等级</td></tr>
<tr><td colspan="2">检查项目质量全部符合质量标准，检测项目合格率____%</td><td></td><td colspan="2"></td><td colspan="3"></td></tr>
<tr><td colspan="2">施工单位名称</td><td></td><td colspan="2">监理单位名称</td><td colspan="3"></td></tr>
<tr><td colspan="2">检查负责人</td><td></td><td colspan="2">核定人</td><td colspan="3"></td></tr>
</table>

表 C.1.11 浆砌石单元工程质量评定表

<table>
<tr><td colspan="3">单位工程名称</td><td></td><td>单元工程量</td><td></td><td>编号</td><td colspan="2"></td></tr>
<tr><td colspan="3">分部工程名称</td><td></td><td>检验日期</td><td colspan="4">年 月 日</td></tr>
<tr><td colspan="3">单元工程名称、部位</td><td></td><td>评定日期</td><td colspan="4">年 月 日</td></tr>
<tr><td colspan="2">项次</td><td>项目名称</td><td>质量标准</td><td colspan="4">检验结果</td><td>评定</td></tr>
<tr><td rowspan="4">检查项目</td><td>1</td><td>原材料</td><td>符合规范要求</td><td colspan="4"></td><td></td></tr>
<tr><td>2</td><td>砂浆配合比</td><td>符合设计要求</td><td colspan="4"></td><td></td></tr>
<tr><td>3</td><td>砌筑</td><td>采用坐浆法施工;空隙用碎石填塞,不得用砂浆充填</td><td colspan="4"></td><td></td></tr>
<tr><td>4</td><td>勾缝</td><td>无裂缝、脱皮现象</td><td colspan="4"></td><td></td></tr>
<tr><td colspan="2">项次</td><td>项目名称</td><td>质量标准</td><td>设计值</td><td>实测值</td><td>合格数(点)</td><td>合格率(%)</td><td>评定</td></tr>
<tr><td rowspan="4">检测项目</td><td>1</td><td>砌石结构尺寸</td><td>允许偏差为设计尺寸的±4%</td><td></td><td></td><td></td><td></td><td></td></tr>
<tr><td>2</td><td>表面平整度</td><td>用 2m 直尺测量,凹凸差为±2cm</td><td></td><td></td><td></td><td></td><td></td></tr>
<tr><td>3</td><td>轴线位置</td><td>允许偏差小于 1cm</td><td></td><td></td><td></td><td></td><td></td></tr>
<tr><td>4</td><td>标 高</td><td>允许偏差±1.5cm</td><td></td><td></td><td></td><td></td><td></td></tr>
<tr><td colspan="3">施工单位自评意见</td><td>质量等级</td><td colspan="2">监理单位核定意见</td><td colspan="3">核定质量等级</td></tr>
<tr><td colspan="3">检查项目质量全部符合质量标准,检测项目合格率____%</td><td></td><td colspan="2"></td><td colspan="3"></td></tr>
<tr><td colspan="3">施工单位名称</td><td></td><td colspan="2">监理单位名称</td><td colspan="3"></td></tr>
<tr><td colspan="3">检查负责人</td><td></td><td colspan="2">核定人</td><td colspan="3"></td></tr>
</table>

表 C.1.12　浆砌混凝土预制件单元工程质量评定表

<table>
<tr><td colspan="3">单位工程名称</td><td colspan="2"></td><td colspan="2">单元工程量</td><td>编号</td><td></td></tr>
<tr><td colspan="3">分部工程名称</td><td colspan="2"></td><td colspan="2">检验日期</td><td colspan="2">年　月　日</td></tr>
<tr><td colspan="3">单元工程名称、部位</td><td colspan="2"></td><td colspan="2">评定日期</td><td colspan="2">年　月　日</td></tr>
<tr><td colspan="2">项次</td><td>项目名称</td><td>质量标准</td><td colspan="5">检验结果</td><td>评定</td></tr>
<tr><td rowspan="3">检查项目</td><td>1</td><td>预制件外观</td><td>表面清洁平整，强度、尺寸符合设计要求</td><td colspan="5"></td><td></td></tr>
<tr><td>2</td><td>预制件铺砌</td><td>平整、稳定，缝线规则、紧密</td><td colspan="5"></td><td></td></tr>
<tr><td>3</td><td>砌筑</td><td>采用坐浆法施工</td><td colspan="5"></td><td></td></tr>
<tr><td colspan="2">项次</td><td>项目名称</td><td>质量标准</td><td>设计值</td><td>实测值</td><td>合格数（点）</td><td>合格率（%）</td><td></td><td>评定</td></tr>
<tr><td>检测项目</td><td>1</td><td>表面平整度</td><td>用 2m 直尺检测，凹凸差为 ±1cm</td><td></td><td></td><td></td><td></td><td></td><td></td></tr>
<tr><td colspan="3">施工单位自评意见</td><td>质量等级</td><td colspan="3">监理单位核定意见</td><td colspan="3">核定质量等级</td></tr>
<tr><td colspan="3">检查项目质量全部符合质量标准，检测项目合格率____%</td><td></td><td colspan="3"></td><td colspan="3"></td></tr>
<tr><td colspan="3">施工单位名称</td><td></td><td colspan="3">监理单位名称</td><td colspan="3"></td></tr>
<tr><td colspan="3">检查负责人</td><td></td><td colspan="3">核定人</td><td colspan="3"></td></tr>
</table>

表 C.1.13 预制管安装单元工程质量评定表

<table>
<tr><td colspan="3">单位工程名称</td><td></td><td>单元工程量</td><td></td><td>编号</td><td colspan="2"></td></tr>
<tr><td colspan="3">分部工程名称</td><td></td><td>检验日期</td><td colspan="4">年 月 日</td></tr>
<tr><td colspan="3">单元工程名称、部位</td><td></td><td>评定日期</td><td colspan="4">年 月 日</td></tr>
<tr><td colspan="2">项次</td><td>项目名称</td><td>质量标准</td><td colspan="4">检验结果</td><td>评定</td></tr>
<tr><td rowspan="3">检查项目</td><td>1</td><td>预制管质量</td><td>符合设计和规范要求</td><td colspan="4"></td><td></td></tr>
<tr><td>2</td><td>预制管接头</td><td>填塞接缝,无漏水或漏烟</td><td colspan="4"></td><td></td></tr>
<tr><td>3</td><td>管壁附近填土</td><td>采用小木夯或石夯分层夯实</td><td colspan="4"></td><td></td></tr>
<tr><td colspan="2">项次</td><td>项目名称</td><td>质量标准</td><td>设计值</td><td>实测值</td><td>合格数（点）</td><td>合格率（%）</td><td>评定</td></tr>
<tr><td rowspan="2">检测项目</td><td>1</td><td>截水环的高、宽、厚</td><td>允许偏差为设计值的±10%</td><td></td><td></td><td></td><td></td><td></td></tr>
<tr><td>2</td><td>涵管坡比</td><td>允许偏差为设计坡比的±10%</td><td></td><td></td><td></td><td></td><td></td></tr>
<tr><td colspan="3">施工单位自评意见</td><td>质量等级</td><td colspan="2">监理单位核定意见</td><td colspan="3">核定质量等级</td></tr>
<tr><td colspan="3">检查项目质量全部符合质量标准,检测项目合格率____%</td><td></td><td colspan="2"></td><td colspan="3"></td></tr>
<tr><td colspan="3">施工单位名称</td><td></td><td colspan="2">监理单位名称</td><td colspan="3"></td></tr>
<tr><td colspan="3">检查负责人</td><td></td><td colspan="2">核定人</td><td colspan="3"></td></tr>
</table>

表 C.1.14 现浇混凝土单元工程质量评定表

<table>
<tr><td colspan="3">单位工程名称</td><td></td><td>单元工程量</td><td></td><td>编号</td><td colspan="2"></td></tr>
<tr><td colspan="3">分部工程名称</td><td></td><td>检验日期</td><td colspan="4">年 月 日</td></tr>
<tr><td colspan="3">单元工程名称、部位</td><td></td><td>评定日期</td><td colspan="4">年 月 日</td></tr>
<tr><td colspan="2">项次</td><td>项目名称</td><td>质量标准</td><td colspan="4">检验结果</td><td>评定</td></tr>
<tr><td rowspan="4">检查项目</td><td>1</td><td>模板及支架</td><td>有足够的稳定性、刚度和强度;模板表面应光洁平整,接缝严密、不漏浆</td><td colspan="4"></td><td></td></tr>
<tr><td>2</td><td>钢筋</td><td>钢筋的规格尺寸、安装位置应符合设计图纸的要求</td><td colspan="4"></td><td></td></tr>
<tr><td>3</td><td>混凝土</td><td>配合比及施工质量必须满足设计要求</td><td colspan="4"></td><td></td></tr>
<tr><td>4</td><td>混凝土表面</td><td>无蜂窝、麻面、露筋、掉角及裂缝</td><td colspan="4"></td><td></td></tr>
<tr><td colspan="2">项次</td><td>项目名称</td><td>质量标准</td><td>设计值</td><td>实测值</td><td>合格数(点)</td><td>合格率(%)</td><td>评定</td></tr>
<tr><td rowspan="3">检测项目</td><td>1</td><td>钢筋间距</td><td>同一排受力筋、分布筋间距及双排钢筋排与排间距偏差为±0.1间距</td><td></td><td></td><td></td><td></td><td></td></tr>
<tr><td>2</td><td>表面平整度</td><td>用2m直尺检查,凹凸差为±1cm</td><td></td><td></td><td></td><td></td><td></td></tr>
<tr><td>3</td><td>结构尺寸</td><td>允许偏差为设计尺寸的±3%</td><td></td><td></td><td></td><td></td><td></td></tr>
<tr><td colspan="3">施工单位自评意见</td><td>质量等级</td><td colspan="2">监理单位核定意见</td><td colspan="3">核定质量等级</td></tr>
<tr><td colspan="3">检查项目质量全部符合质量标准,检测项目合格率____%</td><td></td><td colspan="2"></td><td colspan="3"></td></tr>
<tr><td colspan="3">施工单位名称</td><td></td><td colspan="2">监理单位名称</td><td colspan="3"></td></tr>
<tr><td colspan="3">检查负责人</td><td></td><td colspan="2">核定人</td><td colspan="3"></td></tr>
</table>

表 C.1.15　小型淤地坝单元工程质量评定表

<table>
<tr><td colspan="3">单位工程名称</td><td></td><td>单元工程量</td><td></td><td>编号</td><td></td></tr>
<tr><td colspan="3">分部工程名称</td><td></td><td>检验日期</td><td colspan="3">年　月　日</td></tr>
<tr><td colspan="3">单元工程名称、部位</td><td></td><td>评定日期</td><td colspan="3">年　月　日</td></tr>
<tr><td colspan="2">项次</td><td>项目名称</td><td>质量标准</td><td colspan="3">检验结果</td><td>评定</td></tr>
<tr><td rowspan="2">检查项目</td><td>1</td><td>清基与削坡</td><td>坝基浮土、杂物及强风化层全部清除,削坡达到设计标准</td><td colspan="3"></td><td></td></tr>
<tr><td>2</td><td>外观质量</td><td>表面平整,无弹簧土、裂缝、起皮及不均匀沉降现象</td><td colspan="3"></td><td></td></tr>
<tr><td rowspan="12">检测项目</td><td rowspan="2">1</td><td rowspan="2">铺土厚度</td><td rowspan="2">铺土均匀,每层厚度≤30cm</td><td>总测层数</td><td>合格层数</td><td>合格率</td><td rowspan="2"></td></tr>
<tr><td></td><td></td><td></td></tr>
<tr><td rowspan="2">2</td><td rowspan="2">压实率</td><td rowspan="2">压实厚度与铺土厚度的比率≤0.75</td><td>总测层数</td><td>合格层数</td><td>合格率</td><td rowspan="2"></td></tr>
<tr><td></td><td></td><td></td></tr>
<tr><td rowspan="2">3</td><td rowspan="2">坝高</td><td rowspan="2">符合设计要求,允许偏差0～+15cm</td><td>总测点数</td><td>合格点数</td><td>合格率</td><td rowspan="2"></td></tr>
<tr><td></td><td></td><td></td></tr>
<tr><td rowspan="2">4</td><td rowspan="2">坝顶宽度</td><td rowspan="2">允许偏差-5～+15cm</td><td>总测点数</td><td>合格点数</td><td>合格率</td><td rowspan="2"></td></tr>
<tr><td></td><td></td><td></td></tr>
<tr><td rowspan="2">5</td><td rowspan="2">上、下游边坡</td><td rowspan="2">允许偏差0～ -0.1</td><td>总测点数</td><td>合格点数</td><td>合格率</td><td rowspan="2"></td></tr>
<tr><td></td><td></td><td></td></tr>
<tr><td rowspan="2">6</td><td rowspan="2">干密度</td><td rowspan="2">允许偏差0～-0.1t/m³</td><td>总测点数</td><td>合格点数</td><td>合格率</td><td rowspan="2"></td></tr>
<tr><td></td><td></td><td></td></tr>
<tr><td colspan="3">施工单位自评意见</td><td>质量等级</td><td colspan="3">监理单位核定意见</td><td>核定质量等级</td></tr>
<tr><td colspan="3">检查项目质量全部符合质量标准,检测项目合格率____%</td><td></td><td colspan="3"></td><td></td></tr>
<tr><td colspan="3">施工单位名称</td><td></td><td colspan="3">监理单位名称</td><td></td></tr>
<tr><td colspan="3">检查负责人</td><td></td><td colspan="3">核定人</td><td></td></tr>
</table>

表C.2.1 梯田单元工程质量评定表

<table>
<tr><td colspan="3">单位工程名称</td><td></td><td>单元工程量</td><td colspan="3"></td></tr>
<tr><td colspan="3">分部工程名称</td><td></td><td>检验日期</td><td colspan="3">年　月　日</td></tr>
<tr><td colspan="3">单元工程名称、种类</td><td></td><td>评定日期</td><td colspan="3">年　月　日</td></tr>
<tr><td colspan="2">项次</td><td>项目名称</td><td>质量标准</td><td colspan="3">检验结果</td><td>评定</td></tr>
<tr><td rowspan="4">检查项目</td><td>1</td><td>梯田布设</td><td>符合设计要求</td><td colspan="3"></td><td></td></tr>
<tr><td>2</td><td>梯田施工</td><td>清基处理、表土还原</td><td colspan="3"></td><td></td></tr>
<tr><td>3</td><td>田坎质量</td><td>土坎密实,无坍塌、陷坑现象(软埂配有生物措施);石坎砌石外沿整齐,砌缝上下交错</td><td colspan="3"></td><td></td></tr>
<tr><td>4</td><td>隔坡段治理措施</td><td>轮休、造林、种草质量符合设计要求</td><td colspan="3"></td><td></td></tr>
<tr><td rowspan="8">检测项目</td><td rowspan="2">1</td><td rowspan="2">田面宽度</td><td rowspan="2">土质山区≥6m,土石山区≥4m</td><td>检测数</td><td>合格数</td><td>合格率</td><td rowspan="2"></td></tr>
<tr><td></td><td></td><td></td></tr>
<tr><td rowspan="2">2</td><td rowspan="2">埂坎尺寸</td><td rowspan="2">允许偏差:埂宽、埂高±5cm</td><td>检测数</td><td>合格数</td><td>合格率</td><td rowspan="2"></td></tr>
<tr><td></td><td></td><td></td></tr>
<tr><td rowspan="2">3</td><td rowspan="2">田面平整度</td><td rowspan="2">纵、横向高差均小于1%</td><td>检测数</td><td>合格数</td><td>合格率</td><td rowspan="2"></td></tr>
<tr><td></td><td></td><td></td></tr>
<tr><td rowspan="2">4</td><td rowspan="2">隔坡梯田宽度投影比</td><td rowspan="2">允许偏差±5%</td><td>检测数</td><td>合格数</td><td>合格率</td><td rowspan="2"></td></tr>
<tr><td></td><td></td><td></td></tr>
<tr><td colspan="3">施工单位自评意见</td><td>质量等级</td><td colspan="2">监理单位核定意见</td><td colspan="2">核定质量等级</td></tr>
<tr><td colspan="3">检查项目质量全部符合质量标准,检测项目合格率____%</td><td></td><td colspan="2"></td><td colspan="2"></td></tr>
<tr><td colspan="3">施工单位名称</td><td></td><td colspan="2">监理单位名称</td><td colspan="2"></td></tr>
<tr><td colspan="3">检查负责人</td><td></td><td colspan="2">核定人</td><td colspan="2"></td></tr>
</table>

表 C.2.2　小块水地单元工程质量评定表

<table>
<tr><td colspan="2">单位工程名称</td><td></td><td colspan="2">单元工程量</td><td colspan="2"></td></tr>
<tr><td colspan="2">分部工程名称</td><td></td><td colspan="2">检验日期</td><td colspan="2">年　月　日</td></tr>
<tr><td colspan="2">单元工程名称</td><td></td><td colspan="2">评定日期</td><td colspan="2">年　月　日</td></tr>
<tr><td colspan="2">项次</td><td>项目名称</td><td>质量标准</td><td colspan="3">检验结果</td><td>评定</td></tr>
<tr><td rowspan="4">检查项目</td><td>1</td><td>田块布设</td><td>符合设计要求</td><td colspan="3"></td><td></td></tr>
<tr><td>2</td><td>灌溉水源</td><td>有确定的水源和水量</td><td colspan="3"></td><td></td></tr>
<tr><td>3</td><td>灌溉设施</td><td>渠系配套,井灌、提灌及蓄水坝库(池、塘)等设施完好</td><td colspan="3"></td><td></td></tr>
<tr><td>4</td><td>田边蓄水埂</td><td>密实无塌陷</td><td colspan="3"></td><td></td></tr>
<tr><td rowspan="6">检测项目</td><td rowspan="2">1</td><td rowspan="2">田面平整度</td><td rowspan="2">田面平整,入水端比末端略高,高差小于1%</td><td>总测点数</td><td>合格点数</td><td>合格率</td><td rowspan="2"></td></tr>
<tr><td></td><td></td><td></td></tr>
<tr><td rowspan="2">2</td><td rowspan="2">渠道比降</td><td rowspan="2">符合设计要求</td><td>总测点数</td><td>合格点数</td><td>合格率</td><td rowspan="2"></td></tr>
<tr><td></td><td></td><td></td></tr>
<tr><td rowspan="2">3</td><td rowspan="2">渠道宽、深</td><td rowspan="2">允许偏差为设计尺寸的±5%</td><td>总测点数</td><td>合格点数</td><td>合格率</td><td rowspan="2"></td></tr>
<tr><td></td><td></td><td></td></tr>
<tr><td colspan="3">施工单位自评意见</td><td>质量等级</td><td colspan="2">监理单位核定意见</td><td colspan="2">核定质量等级</td></tr>
<tr><td colspan="3">检查项目质量全部符合质量标准,检测项目合格率____%</td><td></td><td colspan="2"></td><td colspan="2"></td></tr>
<tr><td colspan="3">施工单位名称</td><td></td><td colspan="2">监理单位名称</td><td colspan="2"></td></tr>
<tr><td colspan="3">检查负责人</td><td></td><td colspan="2">核定人</td><td colspan="2"></td></tr>
</table>

表 C.2.3 引洪漫地单元工程质量评定表

单位工程名称				单元工程量			
分部工程名称				检验日期	年 月 日		
单元工程名称				评定日期	年 月 日		
项次		项目名称	质量标准	检验结果			评定
检查项目	1	总体布局	符合设计,渠首、渠系及田间工程配套				
	2	渠首工程	符合设计要求,工程设施完好(或及时修复),能满足拦(引)洪要求				
	3	各级渠系	无显著的冲淤,损毁部分及时补修				
	4	田面基本平整	田块中不应有大块石砾及明显凹凸部位				
	5	田边蓄水埂	密实无塌陷、陷坑现象				
检测项目	1	渠道比降	符合设计要求(干、支、斗渠比降一般分别为 0.2%～0.3%、0.3% ～ 0.5%、0.5%～1.0%)	总测条数	合格条数	合格率	
	2	渠道横断面面积	允许偏差为设计尺寸的±10%	总测断面数	合格数	合格率	
施工单位自评意见			质量等级	监理单位核定意见		核定质量等级	
检查项目质量全部符合质量标准,检测项目合格率____%							
施工单位名称				监理单位名称			
检查负责人				核定人			

表 C.3.1　造林(乔木林、灌木林、经济林)单元工程质量评定表

<table>
<tr><td colspan="3">单位工程名称</td><td></td><td>单元工程量</td><td colspan="3"></td></tr>
<tr><td colspan="3">分部工程名称</td><td></td><td>检验日期</td><td colspan="3">年　月　日</td></tr>
<tr><td colspan="3">单元工程名称(图斑号)</td><td></td><td>评定日期</td><td colspan="3">年　月　日</td></tr>
<tr><td colspan="2">项次</td><td>项目名称</td><td>质量标准</td><td colspan="3">检验结果</td><td>评定</td></tr>
<tr><td rowspan="5">检查项目</td><td>1</td><td>苗木</td><td>质量等级二级以上</td><td colspan="3"></td><td></td></tr>
<tr><td rowspan="2">2</td><td rowspan="2">整地</td><td rowspan="2">整地形式及规格符合设计要求,土埂密实;带状整地应保证条带水平</td><td>总测点数</td><td>合格点数</td><td>合格率</td><td rowspan="2"></td></tr>
<tr><td></td><td></td><td></td></tr>
<tr><td rowspan="2">3</td><td rowspan="2">栽植</td><td rowspan="2">树种及密度符合设计要求,苗木应栽正踩实</td><td>总测点数</td><td>合格点数</td><td>合格率</td><td rowspan="2"></td></tr>
<tr><td></td><td></td><td></td></tr>
<tr><td rowspan="2">检测项目</td><td rowspan="2">1</td><td rowspan="2">成活率</td><td rowspan="2">降水量≥400mm 地区或灌溉造林,成活率≥85%;降水量<400mm 地区,成活率≥70%</td><td>总测点数</td><td>合格点数</td><td>合格率</td><td rowspan="2"></td></tr>
<tr><td></td><td></td><td></td></tr>
<tr><td colspan="3">施工单位自评意见</td><td>质量等级</td><td colspan="2">监理单位核定意见</td><td colspan="2">核定质量等级</td></tr>
<tr><td colspan="3">检查项目质量全部符合质量标准,检测项目合格率____%</td><td></td><td colspan="2"></td><td colspan="2"></td></tr>
<tr><td colspan="3">施工单位名称</td><td></td><td colspan="2">监理单位名称</td><td colspan="2"></td></tr>
<tr><td colspan="3">检查负责人</td><td></td><td colspan="2">核定人</td><td colspan="2"></td></tr>
</table>

表 C.3.2　果园单元工程质量评定表

<table>
<tr><td colspan="3">单位工程名称</td><td></td><td>单元工程量</td><td colspan="3"></td></tr>
<tr><td colspan="3">分部工程名称</td><td></td><td>检验日期</td><td colspan="3">年　月　日</td></tr>
<tr><td colspan="3">单元工程名称</td><td></td><td>评定日期</td><td colspan="3">年　月　日</td></tr>
<tr><td colspan="2">项次</td><td>项目名称</td><td>质量标准</td><td colspan="3">检验结果</td><td>评定</td></tr>
<tr><td rowspan="6">检查项目</td><td>1</td><td>苗木</td><td>质量等级二级以上</td><td colspan="3"></td><td></td></tr>
<tr><td>2</td><td>整地</td><td>整地形式及规格符合设计要求，土埂密实；带状整地应保证条带水平</td><td colspan="3"></td><td></td></tr>
<tr><td>3</td><td>栽植</td><td>树种及密度符合设计要求，苗木应栽正踩实</td><td colspan="3"></td><td></td></tr>
<tr><td>4</td><td>排灌设施</td><td>无破损、跑水、漏水现象，排灌设施的布设、规格符合设计要求</td><td colspan="3"></td><td></td></tr>
<tr><td>5</td><td>道路</td><td>道路布设、规格符合设计要求，路面平整坚实</td><td colspan="3"></td><td></td></tr>
<tr><td>6</td><td>防护林</td><td>防护林布设、规格符合设计要求</td><td colspan="3"></td><td></td></tr>
<tr><td rowspan="2">检测项目</td><td rowspan="2">1</td><td rowspan="2">成活率</td><td rowspan="2">苗木栽植成活率不小于95%</td><td>总测点数</td><td>合格点数</td><td>合格率</td><td rowspan="2"></td></tr>
<tr><td></td><td></td><td></td></tr>
<tr><td colspan="3">施工单位自评意见</td><td>质量等级</td><td colspan="2">监理单位核定意见</td><td colspan="2">核定质量等级</td></tr>
<tr><td colspan="3">检查项目质量全部符合质量标准，检测项目合格率____%</td><td></td><td colspan="2"></td><td colspan="2"></td></tr>
<tr><td colspan="3">施工单位名称</td><td></td><td colspan="2">监理单位名称</td><td colspan="2"></td></tr>
<tr><td colspan="3">检查负责人</td><td></td><td colspan="2">核定人</td><td colspan="2"></td></tr>
</table>

表 C.3.3　人工种草单元工程质量评定表

<table>
<tr><td colspan="2">单位工程名称</td><td></td><td>单元工程量</td><td colspan="3"></td></tr>
<tr><td colspan="2">分部工程名称</td><td></td><td>检验日期</td><td colspan="3">年　月　日</td></tr>
<tr><td colspan="2">单元工程名称(图斑号)</td><td></td><td>评定日期</td><td colspan="3">年　月　日</td></tr>
<tr><td colspan="2">项次</td><td>项目名称</td><td>质量标准</td><td colspan="3">检验结果</td><td>评定</td></tr>
<tr><td rowspan="5">检查项目</td><td>1</td><td>种 子</td><td>质量等级三级以上</td><td colspan="3"></td><td></td></tr>
<tr><td rowspan="2">2</td><td rowspan="2">整 地</td><td rowspan="2">应达到精耕细作,整地规格符合设计要求</td><td>总测点数</td><td>合格点数</td><td>合格率</td><td rowspan="2"></td></tr>
<tr><td></td><td></td><td></td></tr>
<tr><td rowspan="2">3</td><td rowspan="2">播 种</td><td rowspan="2">播种草种与播种密度符合设计要求;播种深度适宜,播后应镇压</td><td>总测点数</td><td>合格点数</td><td>合格率</td><td rowspan="2"></td></tr>
<tr><td></td><td></td><td></td></tr>
<tr><td rowspan="2">检测项目</td><td rowspan="2">1</td><td rowspan="2">成苗数</td><td rowspan="2">成苗数不小于 30 株/m^2</td><td>总测点数</td><td>合格点数</td><td>合格率</td><td rowspan="2"></td></tr>
<tr><td></td><td></td><td></td></tr>
<tr><td colspan="3">施工单位自评意见</td><td>质量等级</td><td colspan="3">监理单位核定意见</td><td>核定质量等级</td></tr>
<tr><td colspan="3">检查项目质量全部符合质量标准,检测项目合格率____%</td><td></td><td colspan="3"></td><td></td></tr>
<tr><td colspan="3">施工单位名称</td><td></td><td colspan="3">监理单位名称</td><td></td></tr>
<tr><td colspan="3">检查负责人</td><td></td><td colspan="3">核定人</td><td></td></tr>
</table>

表 C.3.4 育苗单元工程质量评定表

<table>
<tr><td colspan="3">单位工程名称</td><td></td><td>单元工程量</td><td colspan="3"></td></tr>
<tr><td colspan="3">分部工程名称</td><td></td><td>检验日期</td><td colspan="3">年 月 日</td></tr>
<tr><td colspan="3">单元工程名称(图斑号)</td><td></td><td>评定日期</td><td colspan="3">年 月 日</td></tr>
<tr><td colspan="2">项次</td><td>项目名称</td><td>质量标准</td><td colspan="3">检验结果</td><td>评定</td></tr>
<tr><td rowspan="3">检查项目</td><td>1</td><td>种 子</td><td>质量等级三级以上</td><td colspan="3"></td><td></td></tr>
<tr><td>2</td><td>苗 床</td><td>苗床应深耕细作、灌溉方便、排水良好,规格符合设计要求</td><td colspan="3"></td><td></td></tr>
<tr><td>3</td><td>播 种</td><td>播种密度符合设计播幅和行距</td><td colspan="3"></td><td></td></tr>
<tr><td rowspan="2">检测项目</td><td rowspan="2">1</td><td rowspan="2">产苗量</td><td rowspan="2">产苗量应达到设计要求;符合二级以上质量标准的苗木不小于80%</td><td>总测点数</td><td>合格点数</td><td>合格率</td><td rowspan="2"></td></tr>
<tr><td></td><td></td><td></td></tr>
<tr><td colspan="3">施工单位自评意见</td><td>质量等级</td><td colspan="2">监理单位核定意见</td><td colspan="2">核定质量等级</td></tr>
<tr><td colspan="3">检查项目质量全部符合质量标准,检测项目合格率____%</td><td></td><td colspan="2"></td><td colspan="2"></td></tr>
<tr><td colspan="3">施工单位名称</td><td></td><td colspan="2">监理单位名称</td><td colspan="2"></td></tr>
<tr><td colspan="3">检查负责人</td><td></td><td colspan="2">核定人</td><td colspan="2"></td></tr>
</table>

表 C.3.5　生态修复(包括封禁治理)单元工程质量评定表

<table>
<tr><td colspan="3">单位工程名称</td><td></td><td colspan="2">单元工程量</td><td colspan="2"></td></tr>
<tr><td colspan="3">分部工程名称</td><td></td><td colspan="2">检验日期</td><td colspan="2">年　月　日</td></tr>
<tr><td colspan="3">单元工程名称(图斑号)</td><td></td><td colspan="2">评定日期</td><td colspan="2">年　月　日</td></tr>
<tr><td colspan="2">项次</td><td>项目名称</td><td>质量标准</td><td colspan="3">检验结果</td><td>评定</td></tr>
<tr><td rowspan="6">检查项目</td><td>1</td><td>围 栏</td><td>规格符合设计要求,埋置时要绷紧、埋实</td><td colspan="3"></td><td></td></tr>
<tr><td>2</td><td>修复标志</td><td>修复区应具有明确的修复标志,修复界限明显</td><td colspan="3"></td><td></td></tr>
<tr><td>3</td><td>抚育管理</td><td>修复区应进行补植、补播、修枝、疏伐、病虫害防治等措施</td><td colspan="3"></td><td></td></tr>
<tr><td>4</td><td>法规制度</td><td>应具有配套的法规制度及乡规民约</td><td colspan="3"></td><td></td></tr>
<tr><td>5</td><td>管 护</td><td>封禁地块配备专职及兼职管护人员,修复区无人畜毁林草事件</td><td colspan="3"></td><td></td></tr>
<tr><td>6</td><td>动态监测</td><td>应设施到位、人员到位、监测到位</td><td colspan="3"></td><td></td></tr>
<tr><td rowspan="2">检测项目</td><td rowspan="2">1</td><td rowspan="2">植被覆盖度</td><td rowspan="2">修复区 3～5 年后,林、草覆盖度达 70%以上</td><td>总测点数</td><td>合格点数</td><td>合格率</td><td rowspan="2"></td></tr>
<tr><td></td><td></td><td></td></tr>
<tr><td colspan="3">施工单位自评意见</td><td>质量等级</td><td colspan="2">监理单位核定意见</td><td colspan="2">核定质量等级</td></tr>
<tr><td colspan="3">检查项目质量全部符合质量标准,检测项目合格率____%</td><td></td><td colspan="2"></td><td colspan="2"></td></tr>
<tr><td colspan="3">施工单位名称</td><td></td><td colspan="2">监理单位名称</td><td colspan="2"></td></tr>
<tr><td colspan="3">检查负责人</td><td></td><td colspan="2">核定人</td><td colspan="2"></td></tr>
</table>

表 C.4.1 沟头防护单元工程质量评定表

<table>
<tr><td colspan="2">单位工程名称</td><td></td><td>单元工程量</td><td colspan="3"></td></tr>
<tr><td colspan="2">分部工程名称</td><td></td><td>检验日期</td><td colspan="3">年 月 日</td></tr>
<tr><td colspan="2">单元工程名称、种类</td><td></td><td>评定日期</td><td colspan="3">年 月 日</td></tr>
<tr><td>项次</td><td>项目名称</td><td>质量标准</td><td colspan="3">检验结果</td><td>评定</td></tr>
<tr><td rowspan="3">检查项目</td><td>1</td><td>工程布设</td><td>蓄水式沟埂顺沟沿线等高修筑,土埂距沟头(沿)的距离不小于 3m,蓄水池距沟头的距离不小于10m</td><td colspan="3"></td><td></td></tr>
<tr><td>2</td><td>工程结构</td><td>蓄水式沟埂内每 5~10m设一小土挡;排水式引水渠、挑流槽(支柱)、消能设施等配套完善</td><td colspan="3"></td><td></td></tr>
<tr><td>3</td><td>外观质量</td><td>蓄水式沟埂按要求进行清基并分层夯实,排水式各构件与地面及岸坡结合稳固,未受暴雨冲淘</td><td colspan="3"></td><td></td></tr>
<tr><td rowspan="6">检测项目</td><td rowspan="2">1</td><td rowspan="2">围埂断面尺寸</td><td rowspan="2">允许偏差:埂高、顶宽以及内、外坡比为设计尺寸的±10%</td><td>总测点数</td><td>合格点数</td><td>合格率</td><td rowspan="2"></td></tr>
<tr><td></td><td></td><td></td></tr>
<tr><td rowspan="2">2</td><td rowspan="2">围埂干密度</td><td rowspan="2">用贯入法检测,达到设计要求</td><td>总测点数</td><td>合格点数</td><td>合格率</td><td rowspan="2"></td></tr>
<tr><td></td><td></td><td></td></tr>
<tr><td rowspan="2">3</td><td rowspan="2">管(槽)、浆砌石等结构尺寸</td><td rowspan="2">允许偏差为设计尺寸的±5%</td><td>总测点数</td><td>合格点数</td><td>合格率</td><td rowspan="2"></td></tr>
<tr><td></td><td></td><td></td></tr>
<tr><td colspan="3">施工单位自评意见</td><td>质量等级</td><td colspan="3">监理单位核定意见</td><td>核定质量等级</td></tr>
<tr><td colspan="3">检查项目质量全部符合质量标准,检测项目合格率____%</td><td></td><td colspan="3"></td><td></td></tr>
<tr><td colspan="3">施工单位名称</td><td></td><td colspan="3">监理单位名称</td><td></td></tr>
<tr><td colspan="3">检查负责人</td><td></td><td colspan="3">核定人</td><td></td></tr>
</table>

表 C.4.2 谷坊单元工程质量评定表

<table>
<tr><td colspan="3">单位工程名称</td><td></td><td colspan="2">单元工程量</td><td colspan="2"></td></tr>
<tr><td colspan="3">分部工程名称</td><td></td><td colspan="2">检验日期</td><td colspan="2">年 月 日</td></tr>
<tr><td colspan="3">单元工程名称、种类</td><td></td><td colspan="2">评定日期</td><td colspan="2">年 月 日</td></tr>
<tr><td colspan="2">项次</td><td>项目名称</td><td>质量标准</td><td colspan="3">检验结果</td><td>评定</td></tr>
<tr><td rowspan="5">检查项目</td><td>1</td><td>工程布设</td><td>上下谷坊布设基本符合“顶底相照”原则</td><td colspan="3"></td><td></td></tr>
<tr><td>2</td><td>清基与结合槽</td><td>浮土、杂物及强风化层全部清除,结合槽开挖达到设计要求</td><td colspan="3"></td><td></td></tr>
<tr><td rowspan="3">3</td><td rowspan="3">外观质量</td><td>土谷坊表面平整,外观密实,边坡稳定,与岸坡结合紧密</td><td colspan="3"></td><td></td></tr>
<tr><td>石谷坊砌石要平,砌筑要稳,石料靠紧,砂浆灌满</td><td colspan="3"></td><td></td></tr>
<tr><td>柳谷坊插杆稳固,品字排开,柳梢编排顺密,排间土石填压</td><td colspan="3"></td><td></td></tr>
<tr><td rowspan="4">检测项目</td><td rowspan="2">1</td><td rowspan="2">土谷坊压实指标</td><td rowspan="2">符合设计要求,允许偏差 $0 \sim -0.1t/m^3$</td><td>总测层数</td><td>合格层数</td><td>合格率</td><td rowspan="2"></td></tr>
<tr><td></td><td></td><td></td></tr>
<tr><td rowspan="2">2</td><td rowspan="2">谷坊外型尺寸</td><td rowspan="2">高、顶宽允许偏差为设计尺寸的 $\pm 5\%$</td><td>总测点数</td><td>合格点数</td><td>合格率</td><td rowspan="2"></td></tr>
<tr><td></td><td></td><td></td></tr>
<tr><td colspan="3">施工单位自评意见</td><td>质量等级</td><td colspan="2">监理单位核定意见</td><td colspan="2">核定质量等级</td></tr>
<tr><td colspan="3">检查项目质量全部符合质量标准,检测项目合格率____%</td><td></td><td colspan="2"></td><td colspan="2"></td></tr>
<tr><td colspan="3">施工单位名称</td><td></td><td colspan="2">监理单位名称</td><td colspan="2"></td></tr>
<tr><td colspan="3">检查负责人</td><td></td><td colspan="2">核定人</td><td colspan="2"></td></tr>
</table>

表 C.4.3　水窖单元工程质量评定表

<table>
<tr><td colspan="2">单位工程名称</td><td></td><td>单元工程量</td><td colspan="2"></td></tr>
<tr><td colspan="2">分部工程名称</td><td></td><td>检验日期</td><td colspan="2">年　月　日</td></tr>
<tr><td colspan="2">单元工程名称、种类</td><td></td><td>评定日期</td><td colspan="2">年　月　日</td></tr>
<tr><td colspan="2">项次</td><td>项目名称</td><td>质量标准</td><td>检验结果</td><td>评定</td></tr>
<tr><td rowspan="5">检查项目</td><td>1</td><td>工程位置</td><td>水窖应建在庭院、路旁以及田间地头有足够地表径流来源的地方</td><td></td><td></td></tr>
<tr><td>2</td><td>工程结构</td><td>除窖体外，有集流场、沉沙池、拦污栅以及进水管等附属设施</td><td></td><td></td></tr>
<tr><td>3</td><td>防渗效果</td><td>窖体应以混凝土浇筑，或以水泥砂浆砌粗料石并勾缝，或以水泥或石灰砂浆砖砌以水泥砂浆抹面</td><td></td><td></td></tr>
<tr><td>4</td><td>外观质量</td><td>窖体坚固，窖壁表面平顺、无裂缝</td><td></td><td></td></tr>
<tr><td>5</td><td>集流场</td><td>是否被硬化</td><td></td><td></td></tr>
<tr><td colspan="3">施工单位自评意见</td><td>质量等级</td><td>监理单位核定意见</td><td>核定质量等级</td></tr>
<tr><td colspan="3"></td><td></td><td></td><td></td></tr>
<tr><td colspan="3">施工单位名称</td><td></td><td>监理单位名称</td><td></td></tr>
<tr><td colspan="3">检查负责人</td><td></td><td>核定人</td><td></td></tr>
</table>

附录D 分部工程质量评定表

分部工程质量评定表

<table>
<tr><td colspan="2">单位工程名称</td><td></td><td>分部工程名称</td><td></td><td>编号</td><td></td></tr>
<tr><td colspan="2">施工单位</td><td></td><td>施工日期</td><td colspan="3">自 年 月 日至 年 月 日</td></tr>
<tr><td colspan="2">主要工程量</td><td></td><td>评定日期</td><td colspan="3">年 月 日</td></tr>
<tr><td>项次</td><td>单元工程名称</td><td>工程量</td><td>单元工程个数</td><td>合格个数</td><td>其中优良个数</td><td>备注</td></tr>
<tr><td>1</td><td></td><td></td><td></td><td></td><td></td><td></td></tr>
<tr><td>2</td><td></td><td></td><td></td><td></td><td></td><td></td></tr>
<tr><td>3</td><td></td><td></td><td></td><td></td><td></td><td></td></tr>
<tr><td>4</td><td></td><td></td><td></td><td></td><td></td><td></td></tr>
<tr><td>5</td><td></td><td></td><td></td><td></td><td></td><td></td></tr>
<tr><td colspan="2">合计</td><td></td><td></td><td></td><td></td><td></td></tr>
<tr><td colspan="2">主要单元工程、重要隐蔽工程及关键部位的单元工程</td><td></td><td></td><td></td><td></td><td></td></tr>
<tr><td colspan="4">施工单位自评意见</td><td colspan="3">监理单位复核意见</td></tr>
<tr><td colspan="4">本分部工程单元工程质量全部合格,优良率____%,其中主要单元工程、重要隐蔽工程及关键部位单元工程_____项,质量_____。施工中_____发生过_____质量事故。原材料质量_____。中间产品质量_____。
施工单位:
自评等级:
评定人: 年 月 日
项目经理或经理代表: 年 月 日</td><td colspan="3">监理单位复核意见:
监理单位:
复核等级:
监理工程师: 年 月 日
总监或副总监: 年 月 日</td></tr>
<tr><td colspan="2">建设单位核定意见</td><td colspan="5">建设单位复核意见:
建设单位: 核定等级:
核 定 人: 负 责 人: 年 月 日</td></tr>
</table>

附录 E 淤地坝外观质量评定表

淤地坝外观质量评定表

<table>
<tr><td colspan="2">单位工程名称</td><td></td><td>施工单位</td><td colspan="3"></td></tr>
<tr><td colspan="2">主要工程量</td><td></td><td>评定日期</td><td colspan="3">年 月 日</td></tr>
<tr><td>项次</td><td colspan="2">项 目</td><td>标准分</td><td>评定得分</td><td>得分率</td><td>备注</td></tr>
<tr><td>1</td><td colspan="2">建筑物外形尺寸</td><td>12</td><td></td><td></td><td></td></tr>
<tr><td>2</td><td colspan="2">轮廓线顺直</td><td>10</td><td></td><td></td><td></td></tr>
<tr><td>3</td><td colspan="2">表面平整度</td><td>10</td><td></td><td></td><td></td></tr>
<tr><td>4</td><td colspan="2">立面垂直度</td><td>10</td><td></td><td></td><td></td></tr>
<tr><td>5</td><td colspan="2">大角方正</td><td>5</td><td></td><td></td><td></td></tr>
<tr><td>6</td><td colspan="2">曲面与平面联结平顺</td><td>9</td><td></td><td></td><td></td></tr>
<tr><td>7</td><td colspan="2">坝区道路</td><td>9</td><td></td><td></td><td></td></tr>
<tr><td>8</td><td colspan="2">马道及排水沟</td><td>5</td><td></td><td></td><td></td></tr>
<tr><td>9</td><td colspan="2">混凝土表面无缺陷</td><td>10</td><td></td><td></td><td></td></tr>
<tr><td>10</td><td colspan="2">表面钢筋割除</td><td>4</td><td></td><td></td><td></td></tr>
<tr><td>11</td><td rowspan="2">砌体勾缝</td><td>宽度均匀、平整</td><td>4</td><td></td><td></td><td></td></tr>
<tr><td>12</td><td>竖、横缝平直</td><td>4</td><td></td><td></td><td></td></tr>
<tr><td>13</td><td colspan="2">坝区绿化</td><td>8</td><td></td><td></td><td></td></tr>
<tr><td>合计</td><td colspan="2"></td><td colspan="4">应得 分,实得 分,得分率 %</td></tr>
</table>

施工单位:	监理单位:	建设单位:
施工单位自评等级:	监理单位复核等级:	建设单位核定等级:
评定人:	监理工程师:	核定人:
项目经理或经理代表: 年 月 日	总监或副总监: 年 月 日	负责人: 年 月 日

附录 F　单位工程质量评定表

单位工程质量评定表

<table>
<tr><td>工程项目名称</td><td></td><td>施工单位</td><td colspan="2"></td></tr>
<tr><td>单位工程名称</td><td></td><td>施工日期</td><td colspan="2">自　年　月　日至　年　月　日</td></tr>
<tr><td>主要工程量</td><td></td><td>评定日期</td><td colspan="2">年　月　日</td></tr>
<tr><td>项次</td><td colspan="2">分部工程名称</td><td>合格</td><td>优良</td></tr>
<tr><td>1</td><td colspan="2"></td><td></td><td></td></tr>
<tr><td>2</td><td colspan="2"></td><td></td><td></td></tr>
<tr><td>3</td><td colspan="2"></td><td></td><td></td></tr>
<tr><td>4</td><td colspan="2"></td><td></td><td></td></tr>
<tr><td>5</td><td colspan="2"></td><td></td><td></td></tr>
<tr><td>6</td><td colspan="2"></td><td></td><td></td></tr>
<tr><td colspan="5">分部工程共　个,其中优良　个,优良率　%,主要分部工程优良率　%</td></tr>
<tr><td>原材料质量</td><td colspan="4"></td></tr>
<tr><td>中间产品质量</td><td colspan="4"></td></tr>
<tr><td>淤地坝外观质量</td><td colspan="4">得分率　%</td></tr>
<tr><td>施工质量检验资料</td><td colspan="4"></td></tr>
<tr><td>质量事故情况</td><td colspan="4"></td></tr>
<tr><td>施工单位自评等级:
评定人:
项目经理:
(公章)
年　月　日</td><td colspan="2">建设(监理)单位复核等级:
复核人:
建设(监理)单位负责人(总监):
(公章)
年　月　日</td><td colspan="2">质量监督机构核定等级:
核定人:
质量监督机构负责人:
(公章)
年　月　日</td></tr>
</table>

附录 G　工程项目质量评定表

工程项目质量评定表

<table>
<tr><td colspan="2">工程项目名称</td><td colspan="3"></td><td colspan="2">建设单位</td><td colspan="3"></td></tr>
<tr><td colspan="2">工程等级</td><td colspan="3"></td><td colspan="2">设计单位</td><td colspan="3"></td></tr>
<tr><td colspan="2">建设地点</td><td colspan="3"></td><td colspan="2">监理单位</td><td colspan="3"></td></tr>
<tr><td colspan="2">主要工程量</td><td colspan="3"></td><td colspan="2">施工单位</td><td colspan="3"></td></tr>
<tr><td colspan="2">开工、完工日期</td><td colspan="3">年　月至　年　月</td><td colspan="2">评定日期</td><td colspan="3">年　　月　　日</td></tr>
<tr><td rowspan="2">序号</td><td rowspan="2">单位工程名称</td><td colspan="3">单元工程质量统计</td><td colspan="3">分部工程质量统计</td><td rowspan="2">外观质量得分率%</td><td rowspan="2">单位工程等级</td></tr>
<tr><td>个数(个)</td><td>其中优良(个)</td><td>优良率(%)</td><td>个数(个)</td><td>其中优良(个)</td><td>优良率(%)</td></tr>
<tr><td>1</td><td></td><td></td><td></td><td></td><td></td><td></td><td></td><td></td><td></td></tr>
<tr><td>2</td><td></td><td></td><td></td><td></td><td></td><td></td><td></td><td></td><td></td></tr>
<tr><td>3</td><td></td><td></td><td></td><td></td><td></td><td></td><td></td><td></td><td></td></tr>
<tr><td>4</td><td></td><td></td><td></td><td></td><td></td><td></td><td></td><td></td><td></td></tr>
<tr><td>5</td><td></td><td></td><td></td><td></td><td></td><td></td><td></td><td></td><td></td></tr>
<tr><td>6</td><td></td><td></td><td></td><td></td><td></td><td></td><td></td><td></td><td></td></tr>
<tr><td>7</td><td></td><td></td><td></td><td></td><td></td><td></td><td></td><td></td><td></td></tr>
<tr><td>8</td><td></td><td></td><td></td><td></td><td></td><td></td><td></td><td></td><td></td></tr>
<tr><td colspan="2">评定结果</td><td colspan="8">本项目有单位工程　　个,质量全部合格。其中优良单位工程　　个,优良率　　%</td></tr>
<tr><td colspan="3">监理单位意见</td><td colspan="3">建设单位意见</td><td colspan="4">质量监督机构核定意见</td></tr>
<tr><td colspan="3">工程项目质量等级:
总监:
监理单位:

(公章)
年　　月　　日</td><td colspan="3">工程项目质量等级:
建设单位负责人:
建设单位:

(公章)
年　　月　　日</td><td colspan="4">工程项目质量等级:
质量监督机构负责人:
质量监督机构:

(公章)
年　　月　　日</td></tr>
</table>